有名武将や合戦の常識をひっくり返す

戦国時代 00の大ウソ

画 富永商太

文 川和二十六

誠らしき嘘はつくも嘘らしき真を語るべか

徳川家康

TETSUJINSYA

冷酷な作戦で他国を席捲する天才　織田信長。
その信長を震え上がらせた甲斐の虎　武田信玄。
ライバルの上杉謙信は毘沙門天として恐れられ、
後に家臣の直江兼続は、
真田幸村や石田三成などと智謀を巡らし、
天下人　徳川家康と覇権を争っていく――

我が国の歴史において、
戦国時代ほどドラマチックな世界はないだろう。

が、ちょっと待ってもらいたい。

皆さんが知ってる戦国時代の武勇伝。
たとえば、桶狭間の奇襲作戦とか、
信玄と謙信の川中島一騎打ちとか、
真田幸村が引き連れていた十勇士とか。

これ、ぜ〜んぶ正式な史実に記された、
〝真実〟だとお思いか？

テレビや漫画で描かれる戦国はいつも劇的だが、
そのストーリーは大半がデタラメばかり。
後世（主に江戸時代）に作られた軍記物語が広がり、
現代まで延々と続いてきたのである。

本書は、そんな間違った常識を訂正しつつ、
リアルなセンゴクに迫ろうというものである。

たとえ織田信長が天才じゃなくたって、
本当は情けなくたってイイじゃない！

戦国武将だって人間だもの。

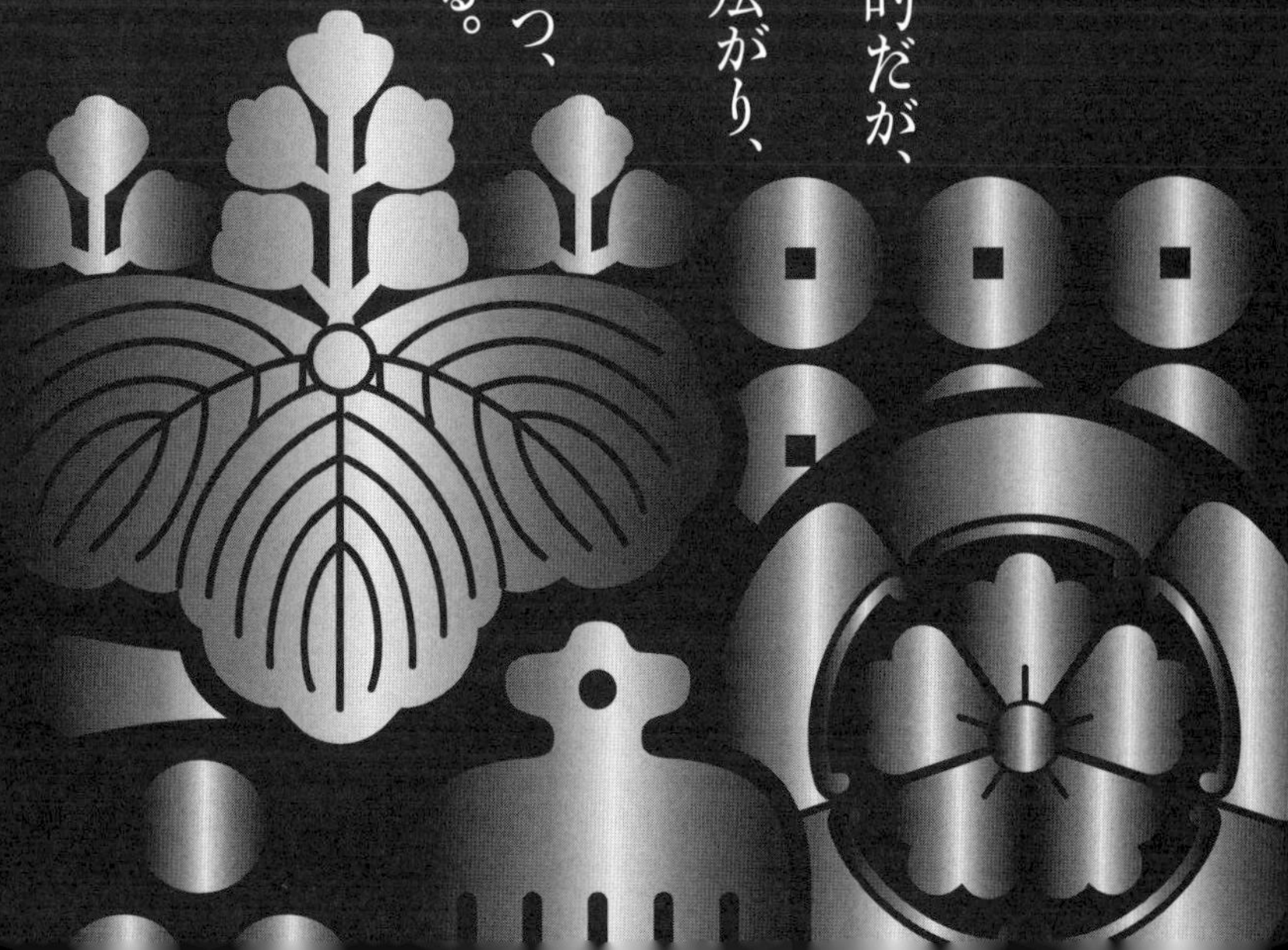

織田信長

1534年〜1582年

神も仏もなき
孤高の天才戦略家
尾張の第六天魔王が
天下布武を唱える

戦国一の人気武将と言えば、やはり織田信長だろう。
大胆な奇襲策による桶狭間や大量の鉄砲を用いた
長篠など、合戦の歴史をことごとく塗り替え
戦国時代そのものを変えてしまった………とされている!
果たして実態はいかなるものか?

織田信長

1534年6月23日〜1582年6月21日
享年49

江戸時代に描かれた「織田信長初陣図」

尾張国（現在の愛知県）の
織田信秀の嫡男（三男）

母は正室「土田御前」、
幼名は「吉法師」

生誕地は「勝幡城」が有力

吉良大浜城攻撃(1547年)

駿河の今川義元が尾張へ侵攻したため、父の配下で出陣。14歳の初陣。勝利。

稲生の戦い(1556年)

家督を巡って2歳下の弟信勝(信行)と戦い勝利。信長23歳。→1557年11月、信勝が再度謀反を企てたため謀殺。

桶狭間の戦い(1560年)

東海道を制圧していた今川義元を討つ。27歳。→尾張を完全統一。→三河の松平元康(徳川家康)と清州同盟を締結。

姉川の戦い(1570年)

織田信長&徳川家康の連合軍が、浅井長政&朝倉景健の連合軍を打ち破る。信長37歳。

比叡山延暦寺の焼き討ち(1573年)

浅井家&朝倉家の軍勢をかくまったとして延暦寺を焼き討ちに。本願寺など宗教勢力との抗争もエスカレート。信長40歳。

長篠の戦い(1575年)

武田勝頼(信玄の子)に勝利。鉄砲隊の活躍で知られる。信長42歳。

本能寺の変(1582年)

京都本能寺に滞在中の織田信長を家臣・明智光秀が襲撃。信長49歳。

伊達政宗

1567年〜1636年

秀吉の前では白装束
に扮し、朝鮮出兵では
金の陣笠軍団を率いて
聴衆の度肝を抜いた。
戦国〝彩狂〟のダテ男
その正体に迫る!

生まれてくるのがあと20年早かったら?……とは
信長、秀吉、家康の3人と比べられた政宗に
いつも使われる定番の賛辞だ。
果たして、稀代の派手好き伊達男は
本当に生まれてくるのが遅かっただけなのか?

伊達政宗

1567年8月3日～1636年6月27日
享年69

珍しい隻眼で描かれた伊達政宗像

東福寺霊源院蔵　土佐光貞筆

奥州伊達氏第16代当主
伊達輝宗の嫡男

母は正室「義姫」（最上義守の娘で最上義光の妹）
幼名は「梵天丸」

生誕地は「出羽国米沢城」

人取り橋の戦い(1585年)

蘆名、佐竹を中心とした反伊達連合軍と戦い勝利。政宗18歳。

摺上原の戦い(1589年)

蘆名義広と戦い勝利。→奥州に一大勢力を築く。政宗22歳。

北条小田原征伐(1590年)

北条と同盟を組んでいたが、秀吉に服属。→「奥州仕置」により秀吉に会津を没収される。

葛西・大崎一揆(1591年)

「奥州仕置」に不満を持つものたちが一揆を起こす(黒幕として疑われる)。政宗24歳。

文禄の役(1592年)

日本を統一した秀吉による朝鮮出兵に参加。政宗25歳。

長谷堂の戦い(1600年)

関ヶ原の戦いが始まった際に、最上義光と共に直江兼続らの上杉勢と戦う。→秀吉の死後(1598年)は徳川家康に接近。関ヶ原での東軍勝利によって上杉軍は撤退、伊達・最上側の勝利となる。政宗33歳。

大阪冬の陣(1614年)

江戸幕府と豊臣の戦い。幕府軍として布陣し、勝利。

1636年　体調不良で死去

甲斐の虎、またの名を
戦国最恐の風林火山
騎馬軍団を操り
今日も完膚なきまで
相手を叩く

ルイス・フロイスは語った。
「信玄は部下に慕われているが、少しのミスも許さず殺す」
父・信虎をも追放した戦国の絶対的存在は
志半ばで散るそのときまで軍配を振り続けた。
そんな恐ろしい信玄には
後世の人間にはあまり知られていない一面があった。

◆男に書いた恋文が残る不幸………P75
◆川中島の戦いで謙信との直接対決って?………P188
◆父親追放を謙信に咎められイジけていた?………P79
◆息子・勝頼が長篠の戦いで味わった苦悩………P210

武田信玄
1521年〜1573年

武田信玄

1521年12月1日～1573年5月13日
享年52

武田晴信＝信玄の肖像画

高野山持明院蔵

甲斐源氏武田家第18代当主
武田信虎の嫡男

母は正室「大井の方」。幼名は「太郎」
本名は「晴信」、「信玄」は出家後の法名

生誕地は「要害山城（積翠寺）」

海ノ口城主・平賀源心攻め(1536年)

信濃国佐久郡侵攻で勝利。16歳の初陣。

信虎の駿河追放(1541年)

重臣たちとともに国境を封鎖して父親を追放。信玄21歳。
➡信玄が武田家の第19代目の家督を相続。➡以後、信濃を平定していく。

川中島の戦い(1553〜1564年)

北信濃の支配権をめぐる武田信玄と越後・上杉謙信の5度にわたる合戦。

第四次合戦(1561年)

最大規模の合戦。武田方は副将で信玄の実弟の武田信繁はじめ重臣が討ち死に。北信濃の地は武田が制圧。

第五次合戦(1564年)

両軍睨み合いのまま双方撤退。

三方ヶ原の戦い(1573年)

信長包囲網の一角を担い、上洛の途上に立ち塞がった徳川・織田の連合軍と激突。信玄勝利。信玄52歳。

野田城の戦い(1573年)

三河国野田城をめぐり、徳川と戦い勝利。信玄52歳。

1573年　軍を甲斐に引き返す三河街道上で死去

戦の神様・毘沙門天の生まれ変わりは決して言い過ぎではないリアルな軍神

甲斐の虎・武田信玄と並び称される越後の龍。
上杉謙信は驚異的な手腕で合戦では負けを知らず
織田信長を最後まで恐怖の絶望に追い込んだ。
敵方兵士を戦意喪失させる「毘」の旗は
何処の戦場でたなびくのか

◆信玄vs謙信、勝者は、ある意味謙信です………P85
◆毘沙門天を愛しすぎ。俺が毘沙門天だ………P82
◆信玄に塩を送った話は事実である
されどドラマのような逸話ではない………P81
◆27歳、突然の家出に家臣大慌て………P84
◆配下の直江兼続「愛」は「LOVE」ではない………P140

上杉謙信
1530年〜1578年

上杉謙信

1530年2月18日～1578年4月19日
享年49

上杉謙信像

上杉神社蔵

越後守護の上杉家に仕える
長尾為景の四男（後に山内上杉氏の家督を譲られ上杉姓に）

母は正室「虎御前」。幼名は「長尾虎千代」
本名は「輝虎」、「謙信」は出家後の法名

生誕地は「春日山城」

栃尾城の戦い（1544年）

上杉家家臣・黒田秀忠の反乱を討伐。15歳の初陣。

川中島の戦い（1553〜1564年）

北信濃の支配権をめぐる武田信玄と越後・上杉謙信の5度にわたる合戦。

名を政虎と改める（1561年）

上杉憲政から家督と関東管領の職を譲り受け、名を上杉政虎と改める。謙信32歳。

越中一向一揆討伐（1573年）

椎名康胤に奪われた富山城を奪還。謙信44歳。

関東出陣（1574年）

北条の支城を落としていくが、他国の大名達の力を借りる事ができず大した成果は得られ巣。謙信45歳。

七尾城の戦い（1576年）

能登へ侵攻しての七尾城を攻めるが、失敗。謙信47歳。

手取り川の戦い（1577年）

七尾城の救援に来た織田家家臣・柴田勝家の軍と戦い勝利する。謙信48歳。

1578年　越後の春日山城内の厠で倒れて急死

家康を死線まで追いやった史上2人目の勇将十勇士を引き連れ大坂の夏に特大花火を打ち上げる

悲劇の勇将といえばこの人しかいない。祖父・幸隆、父・昌幸、兄・信之などの智謀をもつ親類縁者に囲まれ育ちながらも、己の人生最後を賭けた大坂夏の陣では、これ以上なき愚直な正攻法で家康に突進する! その悲劇的な死から、戦国一の哀愁を漂わせているが……。

◆徳川家康の首はガチで狙ったけど、最期はちょっと………P94

◆本名は信繁なのに、どうして幸村なのかしら………P91

◆昌幸と智謀を巡らせ徳川秀忠を足止め………P227

◆兄が徳川に走った理由が意味不明………P88

◆真田十勇士、信じてる人いないよね?………P90

真田幸村
1567年〜1615年

真田幸村

1567年2月2日～1615年6月3日
享年48 ※諸説あり

数少ない真田信繁＝幸村の肖像画

上田市立博物館所蔵

信濃の小領主・真田昌幸の次男

母は正室「山手殿」、幼名は「弁丸」

本名は「信繁」。「幸村」は
死後に書かれた軍記が初出

第一次上田合戦(1585年)

真田VS徳川の戦い。→父・昌幸が越後の上杉景勝に助けを求め、人質として幸村を差し出す。幸村18歳。

忍城の戦い(1590年)

豊臣秀吉VS北条の戦いに豊臣軍の配下として参戦。幸村23歳。

第二次上田合戦(1600年)

関ヶ原の戦いに急ぐ徳川秀忠の4万軍を3千の兵で上田に足止めする。→しかし豊臣方は惨敗し、一緒に戦った父とともに高野山へ配流。幸村33歳。

1611年　父の真田昌幸、九度山にて65歳で死去

大坂冬の陣(1614年)

徳川幕府と豊臣の戦い。幸村47歳。→和議成立。幸村は、NHKの大河ドラマでも有名になった出城「真田丸」を構築して活躍。

大坂夏の陣(1615年)

豊臣軍として参戦。大坂城の家康本陣へ攻め込むも討死。享年48。

徳川家康
1542年〜1616年

三河の小豪族から真の天下統一を成し遂げるまで

戦国の世は、最後まで生き残った者が勝者である。
常に信長や秀吉の３番手に甘んじてきたこの男は
派手な逸話とは無縁であったが、真の強さを心に持ち
遂に戦国のナンバーワンに昇りつめた。
その姿こそ堅実なる王者の証であるが……。

徳川家康

1543年1月31日～1616年6月1日
享年73

徳川家康像

大阪城天守閣蔵　狩野探幽筆

三河の松平氏第8代当主
松平広忠の嫡男

母は正室「於大」。幼名は「竹千代」

生誕地は「岡崎城」

寺部城の戦い(1558年)

今川から織田に通じた寺部城主「鈴木重辰」に勝利。15歳の初陣。

桶狭間の戦い(1560年)

尾張に侵攻した今川義元を、尾張の織田信長が討ち取る。家康は今川軍の先鋒として参加。家康17才。

姉川の戦い(1570年)

織田信長&徳川家康の連合軍が、浅井長政&朝倉景健の連合軍を打ち破る。家康27歳。

三方ヶ原の戦い(1573年)

武田軍が織田&徳川連合軍に圧勝。家康30歳。

長篠の戦い(1575年)

織田&徳川連合軍が武田軍に圧勝。家康32歳。

小牧・長久手の戦い(1584年)

織田&徳川軍と羽柴軍の戦い。➡決着はつかず休戦の和議成立。

関ヶ原の戦い(1600年)

徳川家康を中心とした東軍と毛利&石田&小西らの西軍による戦い。東軍の勝利。➡江戸幕府幕府を樹立。家康57歳。

大坂の陣(1614〜1615年)

豊臣秀頼軍を撃破。➡豊臣氏滅亡。

1615年 73歳で病死

戦国時代100の大ウソ……目次

織田信長

信長〝大うつけ〟説の真相／織田信長は神も仏も大事にします／部下には苦労させられました…／和をもって尊しとなすリーダーでした／戦場ではナゼか一番熱くなる猪大名／意外に小さい天下布武／実るほど頭を垂れる信長かな

伊達政宗

伊達政宗の〝見せる〟美学／【漫画】独眼竜政宗のリアル／セコくて賢い飲みニケーション／瓢箪から駒！／敵城の門を叩いて「一晩、泊めて♪」／有名になりたければ政宗に乗っかれ！

武田信玄

信玄がオトコに綴った恋文の中身とは……／信玄を傷つけた謙信の一言とは？

上杉謙信

「敵に塩を送る」はドラマのような美談ではない／違う！　毘沙門天は

俺！　俺が神様だ！／上杉謙信27歳、突然のニート宣言／信玄vs謙信、勝者はどちらか？

真田幸村

「犬伏の別れ」の背後にあった壮大な計画／幸村のぶっ飛び伝説３連発！／【漫画】徳川家康を死線まで追い詰めた幸村

豊臣秀吉

「信長命！」だったわけじゃございません／秀吉だけが傾城にハマっていた／墨俣城は一日にして成らず／私の渾名は〝禿げネズミ〟です

徳川家康

ウンコを漏らしたときの「しかみ像」は家康じゃない／有名な家康の遺言は実は水戸黄門が考えました／家康影武者説が流れたわけ／真相は徳川家の内紛だった⁉／徳川家を呪う妖刀・村正の正体

前田利家・利常

加賀百万石を作った男はそんなヤワじゃございません／加賀百万石のマネー術／別名は最後の鼻毛大名

第二章 みんな戦国が好きなのさ

脇を固める有名武将と戦国社会の仕組み……139

直江兼続の兜に秘められた恐ろしい神様／竹中半兵衛は軍師というより名外交官です／とてもややこしい名前のルール／間違いだらけの武将の名前／古田織部と仙石秀久／毛利元就の臨終で横にいたのは1本だけ／蒲生氏郷と鍋島直茂の名言／フランシスコ・ザビエルはバリバリの侵略者だった／秋田の新領主、佐竹氏の横暴／豊臣秀頼は秀吉の子ではなかった／今川義元が合戦でも化粧をしていた理由／石田三成軍に囲まれ自害を遂げた細川ガラシャ／交差点では誘拐に注意。出会い系は禁止／戦国大名は弟が早く死ぬ法則／ホントは怖～い、お百姓さ

した画期的戦術は〝給食〟です／自筆の手紙で地位を築いた伊達政宗／したたかな戦国時代の庶民たち／七将襲撃事件／家康に宣戦布告した「直江状」／関ヶ原の合戦では皆さん、私に一票を！／徳川秀忠の愚将説をすすぐ／キーマンは大谷吉継と細川幽斎だった／【漫画】勝敗の鍵は黒田長政の策にあり／島津の退き口は3つの奇跡に助けられていた／宇喜多秀家と豪姫の夫婦愛が花を咲かせた／関ヶ原の勝利を決めた小早川秀秋の可哀想な立場／大名となった石田三成の孫、徳川将軍と結婚した三成のひ孫

第一章

武将だって人間だもの

有名大名の逸話や伝説を解く

織田信長

お上品じゃないというだけで他国にまで広まった

信長〝大うつけ〟説の真相

大うつけ＝大バカ。少年時代の織田信長と言えば、必ずこのアダ名がワンセットになっている。

前田利家などの子分を引き連れて川に飛び込んだり、河原で相撲をとったり、ときには娼婦の尻を追っかけたり。まさに破天荒を地でいったようなイメージだが、これはあくまでドラマの世界での話。

実際の信長はどうだったのか。マジで幼い頃から強烈な個性の持ち主だったのか。

答えは否である。単に、「あまりおとなしくない少年だよなぁ」程度のものだった。

当時、大名のご子息たちは、貴族みたいに上品でないといけないとされていた。そのため各地の領袖(りょうしゅう)たちは、京都から没落貴族たちを家庭教師に呼んで、和歌や書画などの教養を学ばせたり、作

和歌をよむ
書をまなぶ
けまりをたしなむ
世は乱世ぞ！
これでは下克上の餌食だ

戦国時代100の大ウソ
第一章
武将だって人間だもの

法を身に付けさせたりしていた。いわば一流武家になるためのエリート教育だ。

織田家とて例外ではない。すでに出世を遂げていた父・信秀のもと、長男の信長は上品に育って欲しいとばかりに、せっせと教育を仕込まれたわけだ。

が、ときは折しも戦国時代のクライマックスである。平和だった頃の室町時代ならまだしも、下克上だらけの世の中では、和歌が詠めたところで戦争には一文の役にも立たない。それを拒否したぐらいで他国にまで〝大うつけ〟と噂が広がるのだから、戦国時代とはいえノンキなものである。

『大うつけのフリをして他国を欺いた』

『アホだと思っていた信長がきちんとした正装で美濃に現れて斎藤道三もビックリ！」

どうしても信長を稀代の天才に仕立てたい物語では、往々にしてこの手の書き方がされているが、あくまでそれは演出なのである。

ただ、とても聞き分けのいい子だった弟を部下たちが盛り立て、信長を排除しようとしたことも事実。それはなぜか？

2代目社長には、おとなしくて上品な人間を担ぎ上げたほうが、部下たちは楽だからだ。

実際のところ、戦国時代のほとんどの侍たちは、天下統一なんて狙っていなかった。自分の周囲の領土が確保できて、あわよくばちょっと増えたらいいなぁくらいの「適当な野心」しか持っていなかった。

だから、信長がどんどん領土を広げれば広げるほど、まわりの部下たちは「怖いよ。もうここらへんでストップしようよ」と思ってしまう。そうして、この後も信長を裏切る奴が続出していくのである。

信長が「アホ」だったからではない。

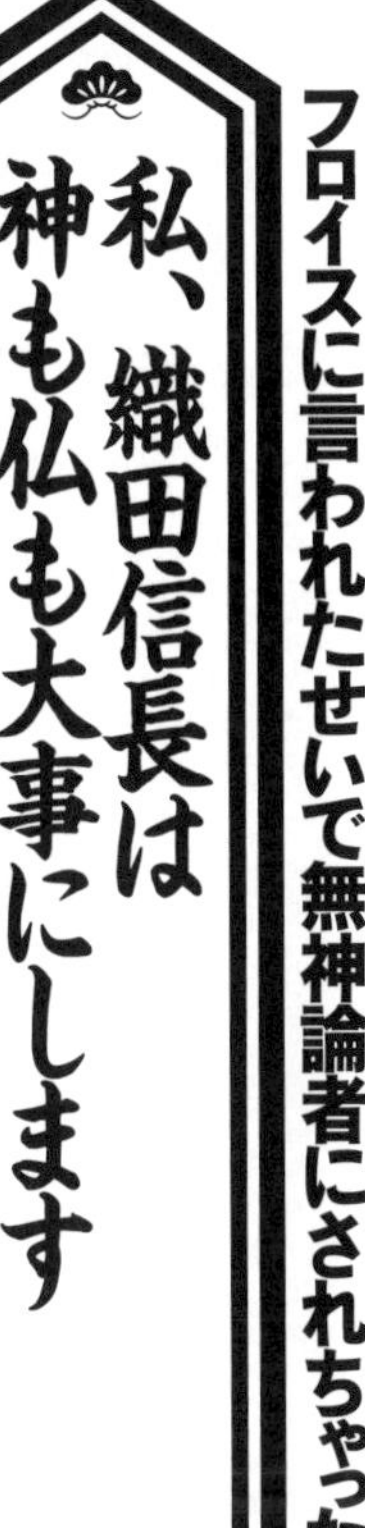

フロイスに言われたせいで無神論者にされちゃったけど
私、織田信長は神も仏も大事にします
織田信長

「鳴かぬなら　殺してしまえ　ホトトギス」

皆さんご存知、織田信長の人となりを表現するのに、よく用いられる川柳である。

おそらくこれは、女子供も無慈悲に焼き討ちした比叡山の影響が大きいのだろう。その所業だけ見れば、確かに神も仏も関係ない。少年誌の漫画などでは、自らを『第六天魔王（一言でいえば悪魔）と名乗った』とまで描かれたりする。

が、それは、いくらなんでもヒドすぎやしませんか。

織田信長は、地元の大きな神社・熱田神宮や、織田家の氏神さまにもよく拝領（寄付など）をしていた。おまけに〝敵〟とされていた仏教寺院にも普通に祈禱のお願いをしているばかりか、そもそも安土城の非常に立地の良い一画に「摠見寺」という寺を建てているくらいなのだ（地図の天主の左下の方にあるのがそれだ）。立派に仏教信者と言えるレベルだろう。

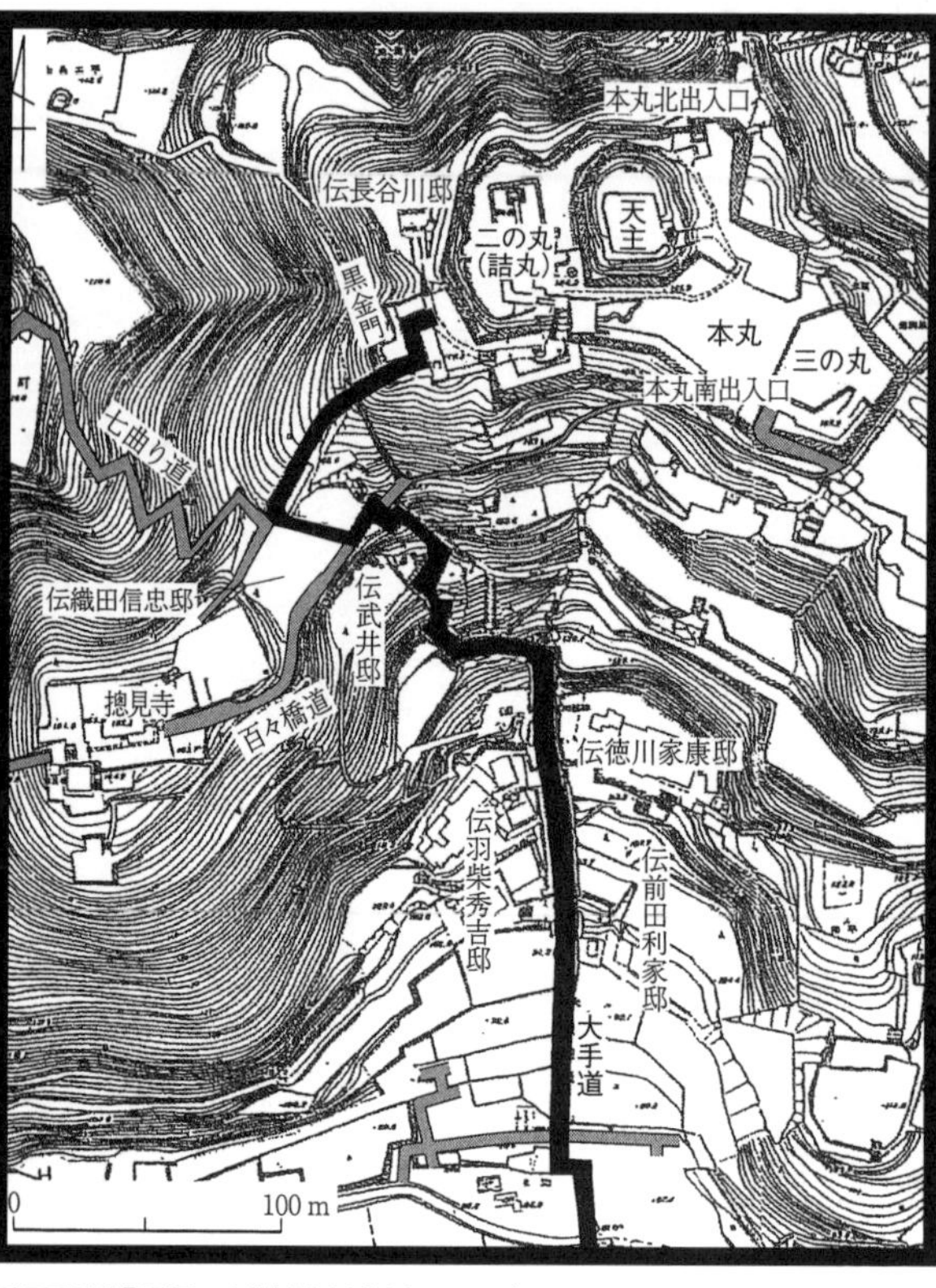

千田嘉博『信長の城』（岩波新書、2013）より

それが後世になって『無神論者』と批判され始めたのは、ずばり宣教師フロイスのせいだ。

彼は、キリスト教を受け入れた信長は新興宗教の信者並に熱いクリスチャンになってくれると信じていた。

が、キリスト教の保護はしても、一向にその様子のない信長。洋風マントを羽織って、寺院も厚遇する姿に我慢がならないフロイスは、自らの日記に無神論者と記して信長を責めたのだ。フロイスは超過激な原理主義者だったので、その話は10分の1以下で聞かなければならない。

信長が変えたかったのは社会の「仕組み」である。社会にぶらさがる、それぞれの組織（個々の寺や商人個人など）を破滅するのが目的ではない。

リーダーとして当時の人民が傾倒していた宗教の基本などは当然のごとく押さえていた。でなければ時代を動かすことなど到底無理だっただろう。

織田信長

裏切られてばっかり！
部下には苦労させられました…トホホ

ミスを犯した配下の者はクビを切り、自分に歯向かう敵は城下の村ごと焼きつくす——。

冷酷な性格の信長は、恐怖で部下や人民を支配していたというのが定説だ。

が、これは真逆である。当時の時代背景からは考えられないほど、彼は同じ人物に何度も裏切られ続けた。しつこく言うが、「同じ人に何度も」というのがポイントだ。裏切り者をソク処刑していたら、何度も裏切られないというのもあるが。

最も有名な例は、松永久秀だろう。北条早雲、斎藤道三と並んで『日本三大梟雄』の一人とも称される松永は、周囲の大名に信長が包囲され、ピンチに陥るとあっさり裏切り、その後、再び投降するもまた裏切る、という懲りないヤツだった。

にもかかわらず信長は、二度目の裏切りでも、松永の城を完全に包囲しながら「お前の持っている有名な茶器をくれたら許してあげるよ」と譲歩しているのだ。どこまで優しいんだ。普通なら「甘過ぎる！　このぼっちゃんめ！　お前みたいなのは武士失格だ」と罵倒されるレベルである。

信長が甘かったのは、松永だけが特別ではない。古くは実の弟である織田信行の謀反をはじめ、将軍・足利義昭、荒木村重、浅井長政などなど「さすがにお前は裏切らんでしょ？」ってシチュエーションでも、幾度となく辛酸を嘗めさせられた。

変わったところでは、信長の身辺を警護する親衛隊にすら、「単身赴任がきつい」との理由で城下町に放火されたこともあるほどだ。

あまり語られないが、彼は戦国武将の中ではかなり特異な面があった。「人を心から信頼する」という性質だ。現代ならばプラスに評価されるかもしれないこの性格。下克上が横行する世界では、単純に「ナメられる」ことにもつながってしまう。

『信長は尊大』という例としてよく用いられる話がある。まだ若かった頃の前田利家や佐々成政が北陸地方で初めての城持ちとなったときに、彼らに向かって「おれのことを慕え」「足をむけて寝るな」と、信長が命令したというものだ。

これも裏を返せば、「厳しく言っとかないと、あいつら遠い場所に行ったとたん、俺のこと無視するんでは？」と信長が本気で心配していたフシがある。

ただ、こんな信長の「人を信用する心」に、真っ向から応えた人間が2人いる。豊臣秀吉と徳川家康だ。彼らは信長を一生裏切ることはなかった。そんな2人が結局、天下を取れたというのも、なかなか歴史の神様は粋なはからいをしてくれる。

戦争はみんなで決めましょう！

私は、和をもって尊しとなすリーダーでした

織田信長

実は心がきめ細やかで、和を重んじる信長。たとえば、戦争への参加の仕方や、築城についてのポリシーは「俺が決める」では

なく、なんと「みんなで相談しながら決めることが大事だ」と、イメージと真逆なことを言っていた。

実際、荒木村重という武将は、信長から「こっちの方面へ行け」と命令されたのに、「いやいや、おれは、こっち側を攻めたい」と拒否している。それでもこのときには処罰されていない。後に村重が謀反を起こすのは、この一件で信長をナメきったせいかもしれない。

本願寺一向宗との戦いについても同じだ。4年間、包囲したため敵は虫の息。あと一押しで陥落というところで、なんと信長のほうから「おれの息子を人質に出してもいいよ。開城してくれない？」と譲歩しているのだ。

こういう優しさがあるのを知っていたから、意気に感じた秀吉も家康も必死に戦った。一方で、荒木村重や明智光秀にはそれを逆手に取られてしまうわけだが、本能寺の変でも興味深いエピソードが残っている。

本能寺の変が起きたのは、1582年（天正10年）のこと。信長は京都の本能寺に軍勢を率いずに宿泊していた。そこへ、中国地方で毛利と戦っていた秀吉を救援す

現在の本能寺は移転したもので、信長が死んだ場所ではない。本物の石垣は2007年に発掘された。筆者はそのニュースを聞いてあわてて現地へ行ったが、ご覧のように埋められていた

るために出陣した明智光秀が軍勢を率いて信長を襲撃し、自害させた超有名な歴史的事件だ。
絶体絶命のピンチに直面して、信長が発したとされる有名な一節がある。彼はかくのごとき呟いた。

『是非もなし』

一番信頼していた部下に裏切られたのだから、普通は「あの裏切り者！」とでも悪態をつくところだろう。

が、この語句の真意は違う。もっとも自然に現代語訳すると、「しょうがないね」となってしまうのだ。随分と諦めの早い、おおよそ恐怖の天下人とは思えない言葉であろう。こういうジェントルなところが真の信長の姿なのである。

戦国無双さながら自ら前へ！
戦場ではナゼか一番熱くなる猪大名
織田信長

ドラマのような天才でもなく、漫画のような破天荒でもなく、部下や同盟相手にはナメられる、お人好しの信長公。

こんな調子でどうして戦国時代に活躍できようか。本当は何か隠し玉があるんだろ？　実際に全国統一の一歩手前までいってるじゃないか。

皆さんがそう思われるのも無理はない。

彼の躍進のきっかけとなった『桶狭間の戦い』でもそうだが、端的に言えば〝自らリスクを取る！〟姿勢が信長の強みだ。

戦場は激しく危険であるがゆえに、大将は後ろでふんぞり返っているのが常。にもかかわらず、信長は自らガンガン前に出る。戦国無双のゲームがリアルに展開されているようなもんである。だからこそ家来たちも大いに盛り上がり、勝率も上がって、また次の合戦への自信につながるという好循環を生む。

テレビゲームならボタンを押す早さが決め手になるが、本物の命のヤリトリは、こうした士気が合戦の勝敗を大きく左右する。

信長が二十歳の頃の話だ。織田家が城攻めをしていたとき、安全な後ろで指揮をとっているはずの信長が突如最前線の敵まで馬を進め、火縄銃でバンバンと撃ちまくったという。

こういう剛胆なところが〝大うつけ〟と呼ばれた由縁かもしれない。現代なら、会社でもサッカーでも、リーダーがガンガン前に出ていくのは当たり前だが、戦国時代はわけが違う。大将が先頭に立って討たれたら総崩れになるので、ほとんど見られない現象だったのだ。

特に、戦国時代の尾張兵（信長の本拠地）は弱くて有名だった。気温が温暖で、交易の豊かな尾張は、人柄もよく戦闘には不向きだったからと言われている。そんな弱兵を率いながらも、数々の戦いに勝利したのは、ひとえに信長のリスクを背負った姿勢だったといえる。先頭切って死地に進むわ、裏切られても「うん、次も信じるよ」なんていう男気を見せられ、周囲の人間はみんなイチコロだったにちがいない。

蛇足だが、このとき信長が使った火縄銃は連発などできる高性能な銃ではない。家来が脇でせっせと弾込めをして、次々に新しい銃を手渡すことで、連発を可能にしていた。武器だけでなく防具もいち早く、最新の当世具足を取り入れていた。もちろん、こうした新しいもの好きも信長の特徴であった。

目指すは畿内統一！
意外に小さい天下布武
織田信長

『天下統一、天下布武（ふぶ）――。信長の天下とは、日本列島どころか、中国大陸をも支配して、ヨーロッパと対決すること。もしも本能寺の変がなければ、それこそ世界の王だったかもしれない』

そんな夢見がちなストーリーは意外に多いが、彼が当初広げた「天下布武」の旗は、そこまで大きなものではない。

天下布武、つまり天下を武力で制圧するという印を使い始めたのは、尾張の隣国・美濃の岐阜城に入ってからとされている。

では、天下の範囲とはどれほどのものだったのか。北海道と沖縄をのぞく本州？　関東から中国地方くらいまで？

いやいや、ずばり〝近畿地方〟のことだったのだ。想像をはるかに超える小ささであろう。

そもそも、天下という言葉は非常に曖昧である。武家で一番最初の天下人は源頼朝とされているが、彼は日本列島を支配したわけではない。京都にすら手が届かず、直轄地といえるのは、鎌倉を中心とした関東周辺のみである。

戦国時代には、信長の前に、誰もが天下人と認める人がいた。三好長慶だ。

誰それ？　と思うかもしれないが、阿波を本拠地とする武将で、畿内をほぼ制圧して『日本の副王』とも呼ばれた有力者である。

彼が支配したのは近畿と四国。つまりこの頃は、京都を中心に近畿さえ押さえてしまえば、天下

信長の死後まもない頃に宣教師ジョバンニ・ニコラオによって描かれた肖像画。織田家ではこの絵が信長にもっとも似ていると語り伝えられているそうだ（山形県天童市・三宝寺所蔵）

畿内統一
それだけで天下統一というシナリオは完成するのだ
そういや、初期の『信長の野望』(KOEI)も近畿だけだったしなぁ…
恐れながら、殿!
豊臣秀吉
天下統一を日の本統一として成し遂げたのは私でございます

戦国時代
100の大ウソ
第一章
武将だって人間だもの

統一の完成だった。

このことは、ヨーロッパから日本にきた宣教師も認識していたほど幅広く知れ渡っており、当時の常識だった。

ではなぜ、〝天下〟の範囲が日本列島統一まで広がってしまったのか。それは、信長の死後に天下人となった豊臣秀吉と徳川家康が北海道と沖縄をのぞく全国を支配できてしまったからに他ならない。以降、「天下」の空間がぐんと広がった。

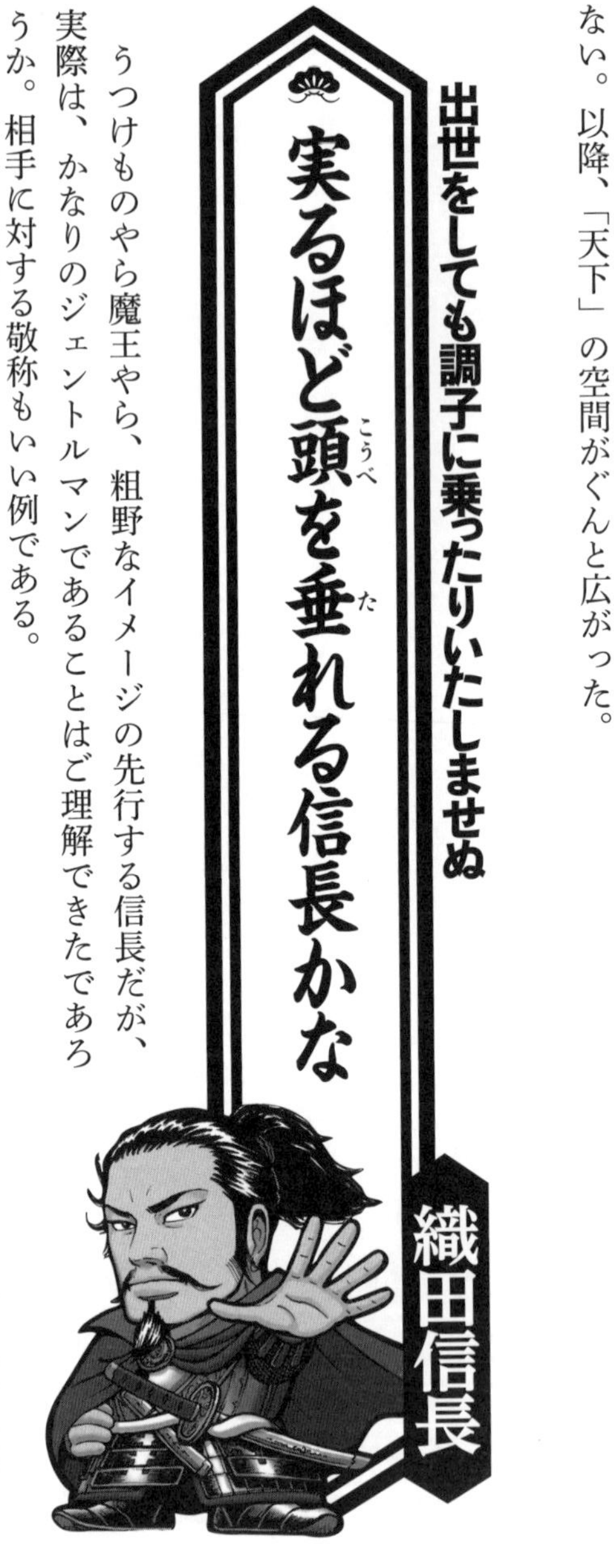

出世をしても調子に乗ったりいたしませぬ

実るほど頭を垂れる信長かな

織田信長

うつけものやら魔王やら、粗野なイメージの先行する信長だが、実際は、かなりのジェントルマンであることはご理解できたであろうか。相手に対する敬称もいい例である。

当時、細川藤孝という戦国大名がいた。信長と彼が初めて出会った頃、2人は室町将軍の配下として同格だった。ゆえに信長から細川宛ての手紙には「細川兵部大輔殿」と丁寧な役職（社長とか校長とか教授みたいな）を書いていた。もちろん相手に敬意を表してのこと。この時点では当たり前である。

　間もなく2人の立場は一気に変わった。信長が副将軍を任命される（信長はそれを断った）ほど急速に出世を果たし、細川は部下になったのだ。

細川藤孝。細川幽斎の名でも知られ、歌道などの芸術にも通じていた

　となれば、上から目線で応じても当然のところだが、それでも信長は「藤孝！」とか「兵部！」などと呼びつけたりはせず、「兵部大輔殿」との敬称を続行したのである。

「猿！」

　大昔、NHKの大河ドラマで竹中直人演じる秀吉を怒鳴りつけていた、渡哲也の信長からは考えられない態度だろう。

　こうした腰の低い態度に細川藤孝などは心酔していたというが、一方で「信長って甘いやつ」とナメられ、前述のように反乱を起こす部下もいた。それでも信長はジェントルマンであり続けたのである。

　ただし秀吉に対しては、「猿」ではなく、「禿げネ

ズミ！」と呼びつけており、これには愛情が込められていた。というのは、信長の強烈なネーミングセンスが部下だけでなく、自分の息子たちにも手加減がなかったからだ。嫡男に「奇妙」、次男は「茶筅」、続いて「坊」、「大洞」と「小洞」と「酌」「人」「良好」である。最後の「良好」君が素晴らしく見えてしまうほど、ぶっとんだラインナップである。

他人にはジェントルマンで、身内や親しい人には、茶目っ気たっぷりのネーミング。人たらしと呼ばれた豊臣秀吉は、案外、信長の人心掌握術を学んでいたのかもしれない。

織田家の家紋

7種あるなかで
最もよく知られている
「織田木瓜」

伊達政宗

子供の頃は隻眼に悩んでいたが……

伊達政宗の〃見せる〃美学

伊達政宗のトレードマークといえば、右目の眼帯だ。それも刀の鍔（つば）を使っていて、なんとカッコいい。

と思ったら、これは完全なウソ。鍔は重くてとても眼帯にはできないし、政宗は病気で潰れた目を隠して生きてはいなかった。

政宗は「隠す」のではなく、見せる、飾る、ことで己の男気を世の中に知らしめた。

東北は都から遠いので、田舎武士と思われていた。ところが、政宗は朝鮮出兵の時に、金色に輝く長帽子を兵士たちにかぶらせて都をパレードし、黄金の林が動くような誰もみたことのない風景に都会人はびっくり。活かした男を意味する「立て」

が、たまたまダテと似ていたことから、人目を引く洒落た身なりの男性、または男気のある者を「伊達男」と呼ぶようになったという。

そんな元祖伊達男は、わざわざ傷を隠す必要などないのだ。が、子供の頃の政宗は、この隻眼（片眼）であることに悩み、おとなしい子だったという。

政宗が隻眼になったのは、5歳のとき。天然痘という病気が原因だった。伊達家の公式記録『伊達治家記録』には、「政宗はいつも隻眼であることを恥じて、なるべくつぶれた眼を隠そうとしていた」と記してある。少年時代は暗く、内向的で、伊達家の当主になるにはふさわしくないのでは、という声もあったという。

そんな根暗な少年がどうやって、あの豪快な政宗になったのか。はっきりわからないが、忠臣であり、親友でもあり、兄貴分でもあった片倉小十郎がその鍵をにぎっていそうだ。

あるとき、政宗のつぶれた眼球がどんどんと膨らんではみ出そうとしてきた。政宗は部下に「突きつぶせ」と命じたが、誰もがびびってしまい、目を伏せてしまった。と、そこへ小十郎がさっそうと小刀をもってあらわれ、ずばっと飛び出した眼球を切ってしまったのだ。

この小十郎の思い切りの良さには、「コンプレックスを断ち切って目覚めよ」との思いがあったのではないか。

そして、少年時代の根暗さを捨て去った政宗は、天下への道、伊達男への道をかけあがっていく。

コンプレックスを逆手にとったこともある。豊臣秀吉の甥が謀反を起こそうとしたとして処分されたとき、政宗も加担を疑われた。そのとき、こう切り返したという。

「両目のある太閤殿下でさえ、甥っ子の真の姿を知らなかったというのに、片眼の私がとても見破れるはずはありません」

これには独裁者となっていた秀吉も黙るしかなかった。

戦国時代100の大ウソ

独眼竜政宗のリアル

伊達家再興の期待を背負わされた

ドドーン

永禄10（1567）年8月3日——
米沢城に東北の昇竜が生を享けた。幼名を「梵天丸」

それから11年後、元服を迎えた梵天丸に新たな名前が与えられた
その名は「政宗」

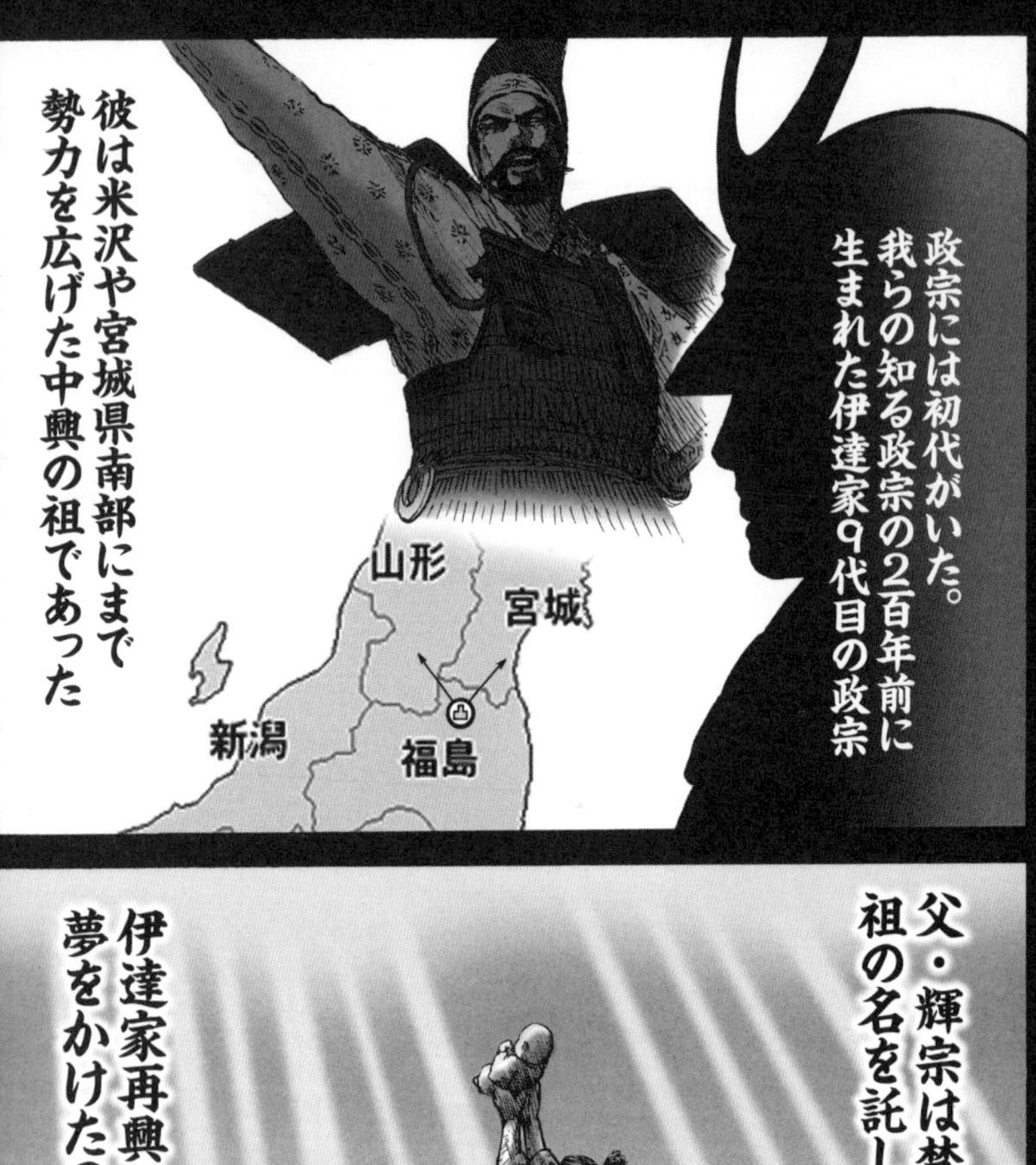
政宗には初代がいた。
我らの知る政宗の2百年前に
生まれた伊達家9代目の政宗
山形
宮城
新潟
福島
彼は米沢や宮城県南部にまで
勢力を広げた中興の祖であった

父・輝宗は梵天丸に
祖の名を託し
伊達家再興の
夢をかけたのだった――

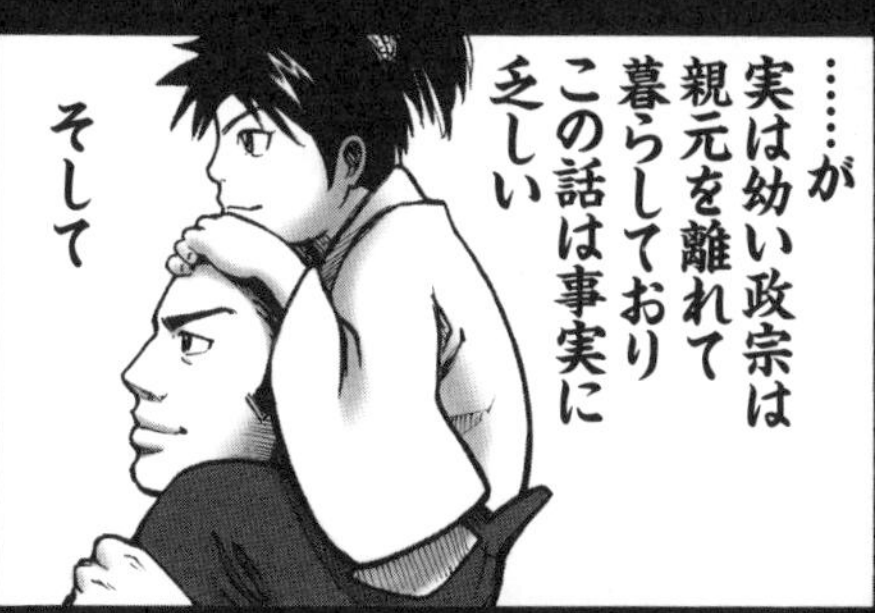

そんなときいつも
そばにいたのが
片倉小十郎であった

翌年、
伊達家は
福島北部から
中部へと
領地を拡大

福島県中部の
二本松城の
畠山氏が
降伏し
父・輝宗が
交渉にあたった

いずれにせよブレーキ役の父が亡くなり
政宗の大戦略は幕を開ける

二本松城主の裏切りで
父を失った政宗は進軍を開始した。
政宗軍7千に対し、敵は3万の連合軍。
だが、政宗軍は重臣をはじめ
100人以上の戦死者を出しながら、
彼らの奮闘で4倍もの敵を撃退した

その後、
二本松城を落とし、
さらに会津の
蘆名氏も滅ぼし、
政宗の旗は
東北で高々とあがる
天下を狙える――
そのとき若き独眼竜の前に、
真の天下人が立ちはだかった

24歳の政宗の前には、
すでに天下人になっていた豊臣秀吉がいた。
2人が対面したのは小田原攻めの陣中。
なかなか参陣しない政宗に、
秀吉は反逆と見て処刑する
可能性も高かった。
停戦命令を無視して
会津の蘆名を滅ぼした容疑者である。
「死を覚悟せねば天下を目指せん」
政宗は、真っ白な死に装束をまとい、秀吉の前に進み出た。

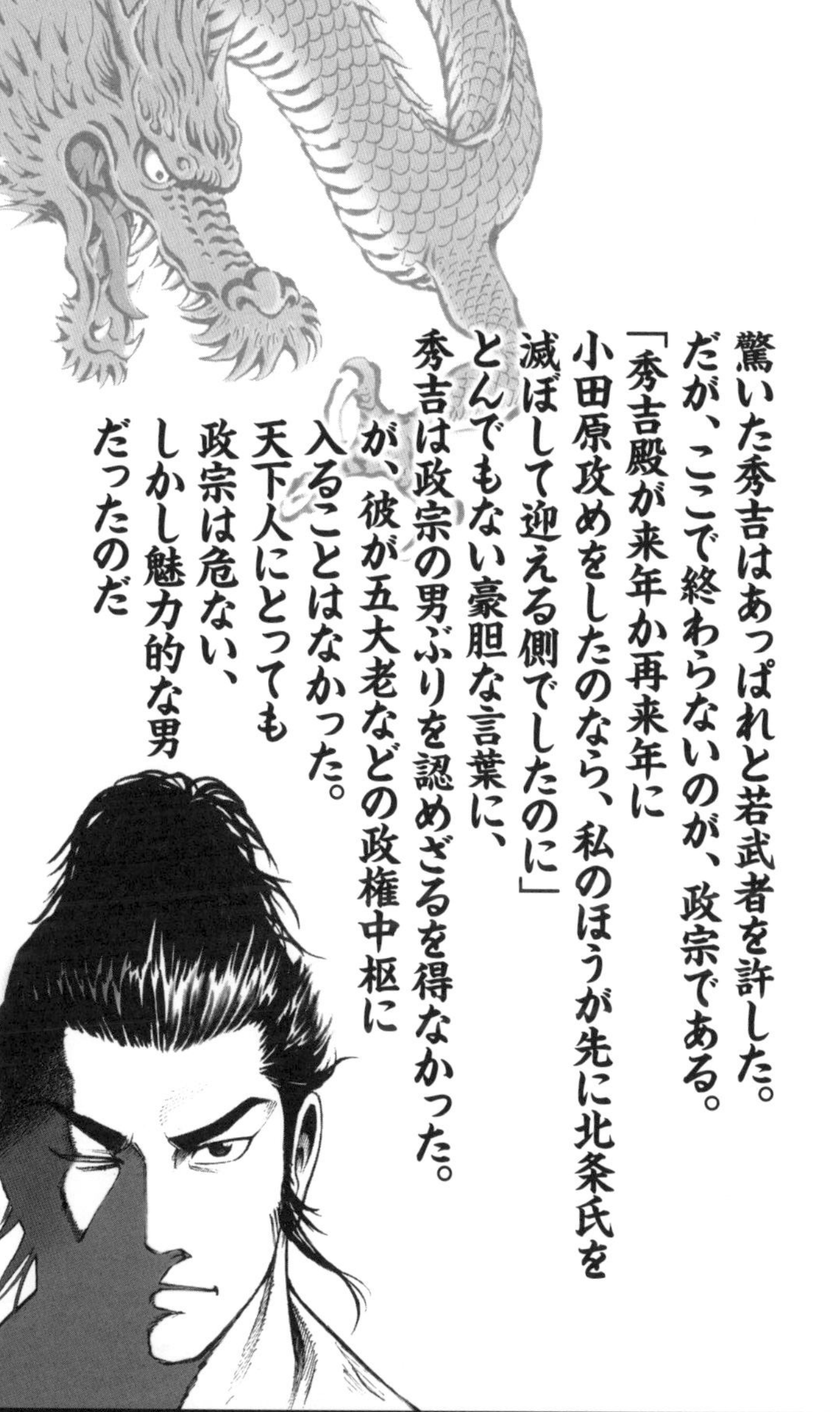

驚いた秀吉はあっぱれと若武者を許した。
だが、ここで終わらないのが、政宗である。
「秀吉殿が来年か再来年に
小田原攻めをしたのなら、私のほうが先に北条氏を
滅ぼして迎える側でしたのに」
とんでもない豪胆な言葉に、
秀吉は政宗の男ぶりを認めざるを得なかった。
が、彼が五大老などの政権中枢に
入ることはなかった。
天下人にとっても
政宗は危ない、
しかし魅力的な男
だったのだ

将軍家の検察機関を取り込んだ

セコくて賢い飲みニケーション

伊達政宗

例えば、悪いことをしている国会議員がいたら、追い詰めるのは東京地検特捜部だ。

戦国大名たちを議員とすると、地検特捜部にあたるのが、大目付の柳生宗矩（やぎゅうむねのり）。柳生家は剣の師範として有名だが、宗矩は政治にも優れていたため、大名の監視役に抜擢されていた。

戦が終わった江戸時代には、素行の悪い大名は平和の邪魔でしかない。次々に悪行をばらされて、家を潰されたり、領土を減らされて飛ばされたり、悲惨な目に遭う大名が相次いだ。

素行が悪いといえば、伊達政宗こそ、その筆頭だ。

微妙だったのは、政宗が柳生宗矩とマブダチだったことだ。それもただの友人関係でなく、「ムネ、ちょっと今晩飲みに来ない？」「ＯＫ、いくいく。地元、奈良の銘酒もってくね」というような親密な間柄である。

とはいえ、友人だからといって、悪行までもが許されるわけがない。将軍家だろうが、愛人だろうが、ダメなものはダメなのが武士の時代。それも疑われただけで最後という、危険な時代であった。

そこで政宗が打った手が、さすがにハンパじゃなかった。

頭の中は冷静に、見た日は酔っぱらいながら宗矩に切り出したのだろう。

「ホント、奈良の酒うまいねぇ。この酒、仙台城でつくってくんない？」

「えっ、俺の部下を仙台の城に住まわせるってこと？」

「そうそう。今さぁ、城内で空いている場所、大手門の目の前しかないけど、そこでお願いしていいか？」

「お、お、オーケー…」

大手門の目の前ということは、家中を「監視してください」と言ってるようなもの。もちろん、これはただの冗談で終わるのではなく、柳生の息のかかった酒造り職人を招いて、酒造所をわざわざ一番重要な大手門を見下ろす場所に造った。

伊達家の情報はすべて幕府に筒抜けになるが、「絶対に裏切らない」という証明にもなったのだ。このことはつい最近、考古学の発見で裏付けられた話である。

ちなみに、日本酒の銘柄で「正宗」とつくものは多いが、政宗とは直接関係ない。江戸時代後半の十九世紀に、灘（兵庫県）の酒蔵・山邑（やまむら）氏が名付けたのが発端。おそらく鎌倉時代の刀の名工「正宗」からとったのだろう。

スケールのデカすぎる政宗のシャレ

瓢箪（ひょうたん）から駒！

伊達政宗は目立ちたがり屋でしかも、おやじギャグが大好きだった。

そんな政宗が、あるとき、賞品を持ち寄って家臣一同たちと取り合うゲームをすることになった。

政宗の賞品は、汚い瓢箪ひとつ。一番の金持ちがこの調子では……。参加者は皆、ガックリと肩を落とし、瓢箪は最後まで残っていた。

最後の1人が仕方なくそれを手にすると、政宗は突如叫んだ。

「瓢箪から駒！」

はっ？　いったい何言ってんの？　事情を飲み込めない一同がざわついていると、ガラガラと障子が開けられ、中からフェラーリが出てきた。いや、正確に言うと、フェラーリ級の凄さで知られ

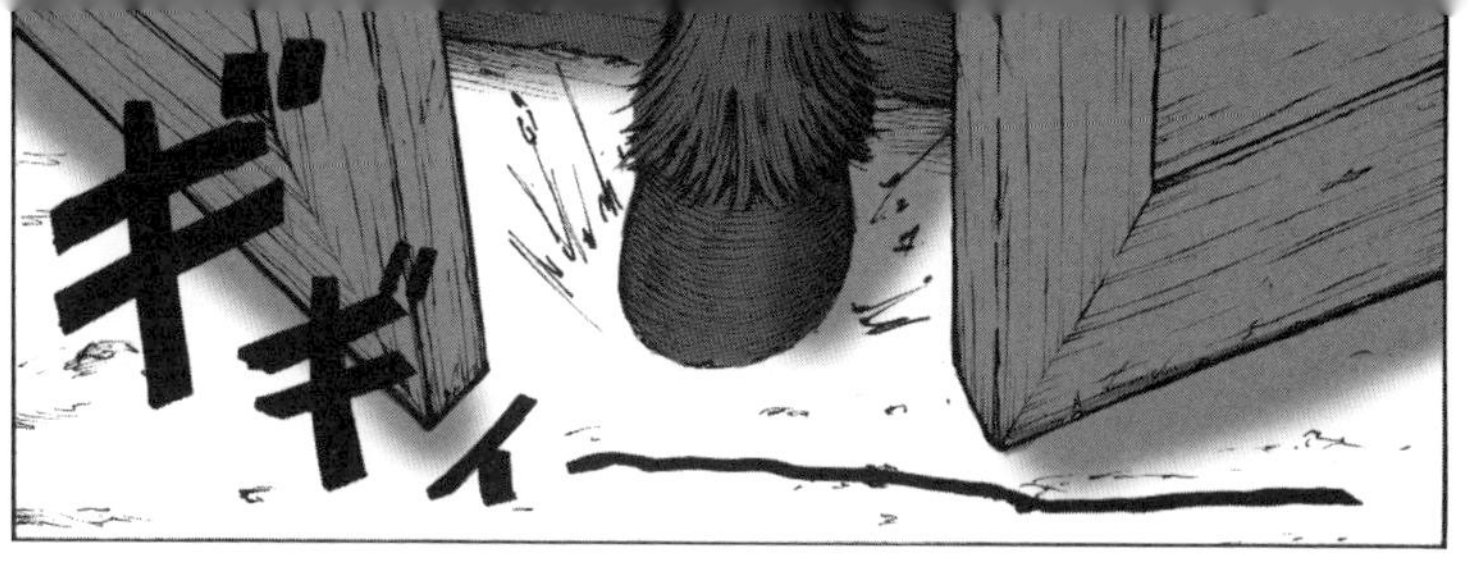
ギギイ――

え？
パカ
パカ

わあっはっはっはっ
次元が違いすぎる
ボケで私には理解
できない……

た東北の名馬である。

「瓢箪から駒！」

駒とは馬のこと。これだけを言うために、時価数千万円（適当です）の高級馬を仕込んでいた政宗さん。

「さすが伊達男」と唸るしかない。

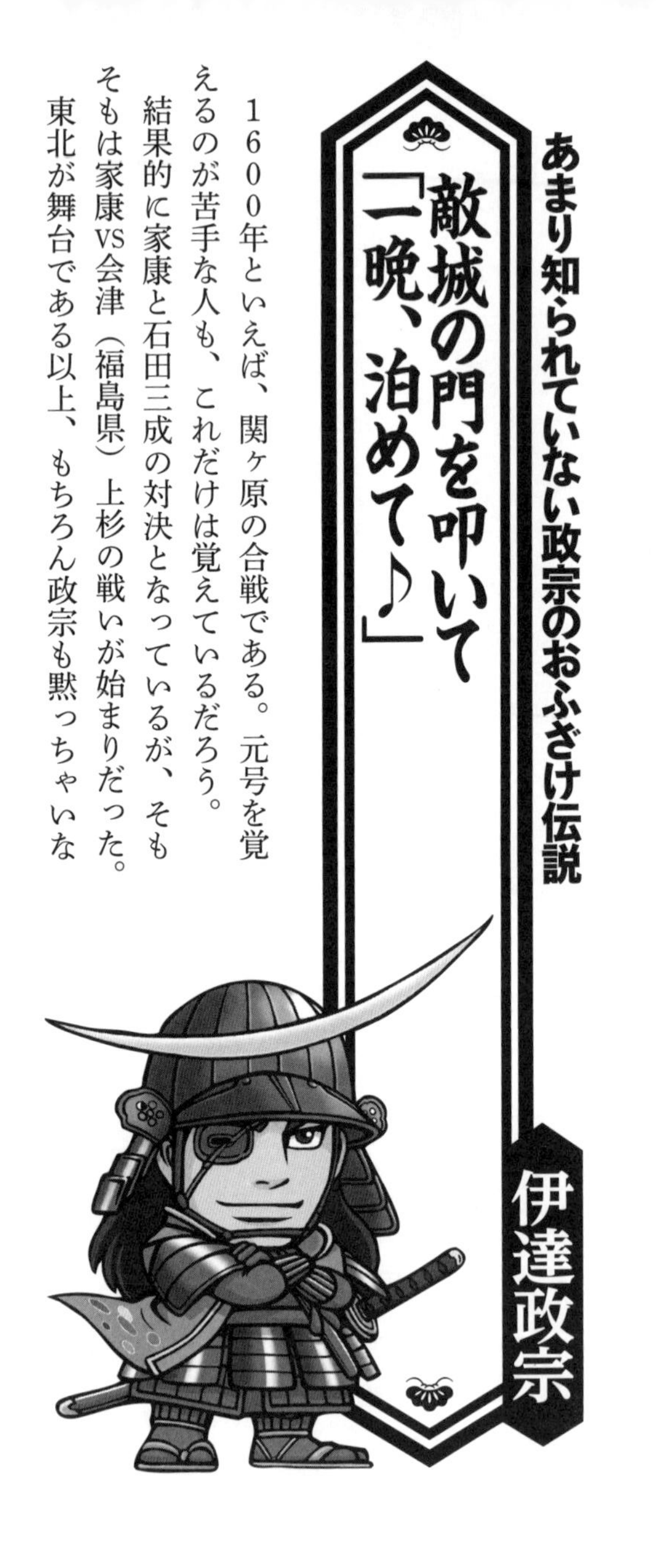

あまり知られていない政宗のおふざけ伝説

伊達政宗

「敵城の門を叩いて一晩、泊めて♪」

1600年といえば、関ヶ原の合戦である。元号を覚えるのが苦手な人も、これだけは覚えているだろう。結果的に家康と石田三成の対決となっているが、そもそもは家康vs会津（福島県）上杉の戦いが始まりだった。東北が舞台である以上、もちろん政宗も黙っちゃいない。とくに会津は、一度は手に入れながら、「大人の事情」（豊臣秀吉に召し上げられた）で手放してしまった因縁の地。そこで政宗は、家康側につくことにした。

急に開戦が決まったため、そのとき大坂にいた政宗はわずか50騎で仙台を目指さねばならなかった。途中の福島県・中通りは上杉が支配しており、まず通り抜けは不可能。そこで、海側の浜通りを通ることにしたのだが、ここも戦国時代から何度も戦ったライバル、相馬氏の支配地だった。

さて、どうスリ抜けるべきか。合戦は日前に迫っており、他の街道や海路などの迂回は使えない。もはや完全に手詰まりか。と、思われたところで、まるで映画のような展開を迎える。政宗は何を思ったか、わざわざ相馬氏の居城「中村城」に使者を送ったのだ。

中村城から伊達家の国境までは8キロ。唯一の手段があるとすれば、少ない軍勢で静かに駆け抜けることだったのだが、こともあろうか政宗は、わざわざ自分から声をかけたのである。

「1泊させてくれ」

相馬氏側では、当然のように「殺すべきだ」との声もあがったが、当主は丁重にもてなすことを決めた。

これを不満に思う相馬氏の若武者は嫌がらせで夜中に馬を放って騒ぎを起こした。「敵襲」と思わせて、政宗をあわてさせようとしたのだ。

ところが、政宗は甲冑ではなく、寝間着のまま現れると「うるさいな、静かにさせてくれ」と言うと、また寝床に戻っていった。この豪胆さに相馬氏は感服した。

実はこのとき政宗は、国境線に多数の軍勢を配置していたのである。相馬氏を試していたのである。

だからといって、なにも自分が「虜（とりこ）」にならなくてもいいのだが、火中の栗を拾いたくて仕方ないのが政宗の悪いところであり、一番の魅力でもあろう。

関ヶ原後、相馬氏は家康に味方をしなかった（中立だった）ため改易されそうになった。が、政宗が「この政宗を安全に泊めてくれた」と弁護し、相馬氏を救っている。

伊達政宗

有名になりたければ政宗に乗っかれ！

「ずんだ餅」も「すずめ踊り」も関係ない!?

東日本大震災以来、東北の歴史や文化が注目されている。しかし、ウソの歴史が蔓延するのは、復興のためにもよくないはず。特に仙台には政宗に便乗した伝統や名産がいくつかあるので紹介しよう。

仙台には「すずめ踊り」という、七夕と並ぶ大きな祭りがある。由来は、次のとおりだ。

『1603年、仙台城が完成したお祝いの席で、大坂から石垣づくりに来ていた石工たちが、政宗の前ですずめの真似をした踊りを即興で披露した。これが政宗公ゆかりの伝統の踊りである』

仙台市民の多くがそう信じているのだが、同市の教育委員会がこれを明確に否定しており、江戸時代はおろか、数十年前の歴史書にも、すずめ踊りは一切記載がない。

どうしてこんなことになっているのだろうか。

実は、もともと仙台にある石工たちが住んでいた石切町に「はねこ踊り」があったが、それが一時中断。1961年に復活したときに、「すずめ踊り」という名前に変え、政宗とのゆかり話も、その時に創作されたのである。

「はねこ踊り」というのは、♪らっせらー、らっせらー、の掛け声で有名な、青森のねぶた祭りに代表され豊年踊りの総称で、参加者がトランス状態になって飛び回る踊りを、そう呼ぶ。

政宗の名前にあやかった、ニセの伝統。名物は、これだけにとどまらず、皆さんご存知の仙台土産「ずんだ餅」も同様だ。

合戦中、政宗が「陣太刀（じんだち）」で豆を潰して食べていたのが、なまって「ずんだ」になったというのが由来だが、陣太刀は戦の神がおりるような非常に大切なもの。豆を潰すなんて罰当たりにもほどがあり、験（げん）を担（かつ）ぐ戦国武将がそんな真似をするはずがない。

語呂合わせもいい加減にしろ、と言いたいが、実際に政宗が生きていたら、そんな細かいことには気にせず、

「ずんだ？　あー、食った食った、大坂の陣で真田幸村と一緒にね」、なんて調子でボケてくれた

であろうか。

政宗にあやかった話をもう一つ。仙台地元のサッカークラブ「ベガルタ仙台」は、もともと「ブランメル仙台」であった。ブランメルには「伊達男」という意味があり、これも政宗からインスパイアされたものだが、すでにこの名前は他のブランドで使用されていたため、現在のベガルタに落ち着いたという。

いずれにせよ政宗人気は凄まじい。

伊達家の家紋

戦国大名のなかでも
最も数が多い伊達氏が
早期に使っていた
「竪三つ引両」

コワモテなイメージが先行しておりますが

信玄がオトコに綴った恋文の中身とは……

武田信玄

武田信玄と聞けば、男の中の男というイメージを抱くだろう。が、実はこの御屋形様(おやかたさま)、大のオトコ好きだった。

例えば、ある美少年に、こんな手紙を送っている。『弥七郎くん以外を愛したことは、今までもこれからも神に誓ってありません。お前が嫉妬していると私はオロオロしてしまうんだよ？』

鬼神のごとく恐れられていた姿からは想像できないが、この時代、信玄だけがこうした恋愛観を持っていたわけではない。

ライバルの謙信にいたっては、「女は一切ダメ」と大名のくせに結婚も子作りもせずに、魔法使い（出家）になってしまった。もちろん謙信もオトコとはラブラブだった。

むしろ、名だたる戦国大名で美少年に関心がなかったのは、大の女好きだった豊臣秀吉ぐらいのもんだろう。

ちなみに弥七郎とは、武田の名将として有名な高坂昌信（春日虎綱）のことだ。この人は信玄の死後、次の当主・勝頼に「人を使うときは、合うところで使って、ちょっと具合がよくなくてもいちいちとがめるな」と忠告している。

うーむ。同性愛者の視点で語られると、意味深な言葉ですなぁ。

ちなみに信玄の遺言についても、現代人が勘違いしているものがある。

『人は城、人は石垣、人は濠、情けは味方、仇は敵なり』

この言葉、ファンは『風林火山』と同様に痺れていて、社訓にしている会社もあると聞く。ところがこれ、『信玄の言葉ではない』というのが歴史研究家たちの間で有力だ。

もともとの出典である『甲陽軍鑑』は、歴史書と歴史小説の中間のような曖昧な史料で、さらにその中でも〝伝聞〟で記されている。

「ある人が言っていました。これが信玄の遺言となった和歌だって」

この曖昧な記述が長く遺言とされてきたのは、信玄の本拠地甲斐に、本格的な山城が非常に少なかったという史実がある。

言葉の語呂もよく、こうした背景に後押しされて、通説として広まったのだろう。

歌川國芳の浮世絵に描かれた高坂昌信

君たちーーっ
きゃわうぃねーーえ!!

そらつかまえたっ!
いや～ん♡

あれを見ろーーっ!!
キャー キャー キャー
織田の家臣に変態がおるぞーーっ!!
さてはニュータイプか!?
変態め!成敗してやるっ
おなごにしか興味が無いだとぉーー

『論語』なんかもう読まん!

信玄を傷つけた謙信の一言とは?

武田信玄

同性愛と親不孝。どちらが不道徳か? 現代人に尋ねれば、人それぞれの回答があるだろうが、戦国時代は、圧倒的に親不孝の方がヤバかった。武士たちは「忠孝」を重んじる『論語』を教科書にしていたからだ。

中国の孔子が書いた思想書で、「忠」とは後輩は先輩に絶対服従みたいなことを指し、「孝」は親孝行すること。平たく言えば上下関係を最重要視している。

信玄は、その最大のタブー、親不孝を犯してしまった。ご存知の方も多いであろう、実父の武田信虎を今川氏の駿河へ追放してしまったのだ。

後世の我々から見れば、鮮やかなクーデターにも見えるこの一件、ライバルの上杉謙信にはクソミソにけなされた。意外なのは、信玄がこの言葉にそこそこ傷ついたこと。それ以降、ダンディな武士なら常に小脇に抱えているはずの『論語』を一切、読まなくなってしまった。気まずくなったのか。

しかし、戦国時代に「忠孝」や「忠義」という建前を律儀に守っていては潰されるという現実が待っていた。くそまじめを貫いて、最後まで生き残ったのは謙信ぐらいだろう。彼は「異常に戦が上手だった」という一芸に秀でていたからだ。

武田家の家紋

戦国最強軍団の
目印といえば
「武田菱」

上杉家の家紋

家督を継いだ
謙信が用いた家紋は
「竹に雀」

上杉謙信

『敵に塩を送る』は事実である
されどドラマのような美談ではない

武田信玄の本拠地は、海のない甲斐（山梨）と信濃（長野）だから、塩は作れない。同盟相手の今川氏（駿河＝静岡）から買っていた。

ところが、桶狭間の戦いで義元の首が取られると、信玄はあっさり今川を見限り、織田と同盟を結んでしまう。

そのせいで今度は実の息子・義信に謀反を起こされそうになった信玄だが、その前に困るのは「塩」である。今川から輸入できなくなってしまったのだ。

あまり知られていないが、この時代、塩を大量に必要とするのは人間ではない。馬である。つまり塩の輸入がストップすれば武田名物の騎馬軍団がボロボロになってしまうのだ。

このピンチに、ライバルの上杉謙信が颯爽と登場！「敵に塩を送る」とのことわざが生まれたように、越後から塩が融通されたという逸話が生まれたわけだが、別に謙信は信玄を助けようと思ったのではない。

北条氏と今川氏が塩の輸出を禁じる命令を出したが、謙信はそうした命令を出さなかっただけのこと。そもそも、塩の流通なら愛知県の海を持つ織田信長から問題なく入ってきた。だから、謙信が禁止令を出しても意味はなく、むしろ「高く売れるうちに売っちゃおう」と考えたのかもしれない。美談はたいてい怪しいものだから。

毘沙門天は戦の神様？
違う！毘沙門天は俺！
俺が神様だ！
上杉謙信

上杉謙信は戦国時代一の変人といわれている。一番の理由は、大名の大切な仕事のひとつ、子作りをしなかっ

たからだ。結婚後、子供ができずに養子をもらうことはザラにあったが、結婚すらしないのは異常だった。

もうひとつ変わっていたのが、信仰心の厚さだ。この頃は、信長でさえ信仰心を持っていたが、謙信は突き抜けていた。

「毘」を旗印にしていたことからわかるように、謙信は毘沙門天を信仰していた。それが祈りを捧げるうちに思い入れが強くなり過ぎ、いつしか自分が毘沙門天だと思い込んでしまったのだ。部下に、こんな言葉をかけている。

「私がいるから毘沙門天がいる。私がいなければ毘沙門天はいない。だから私を毘沙門天と思いなさい。願いがあれば、私に祈りなさい」

ドン引きしません？　上司がこの調子だったら最悪だろう。

ただ、毘沙門天は最強の武神で、実際に謙信もアホみたいに合戦は強かったので、部下たちも必死の思いでこの生き神様に祈ったのかもしれない。

しかしなぜ謙信はそこまで毘沙門天に思い入れを持っていたのか？　幼い時の仏教修行で、今で言うトランス体験をしたせいかと思われる。

上杉謙信

上杉謙信27歳、突然のニート宣言

もう大名なんかやってられない

謙信の変人ぶりは、上杉家当主の身でありながら、家出や出家、ニート宣言をしてしまったというエピソードにも表れている。

上杉謙信の「上杉家」とは、「関東地方」を管轄する関東管領（かんとうかんれい）、室町時代にできた名門だ。関東の長であるはずなのに、なぜ越後（新潟）在住なのか。

簡単に言えば、戦国時代になって北条氏に敗れ、関東から放り出されたからだ。上杉家は、部下の長尾氏を頼り、同氏の息子＝謙信を上杉家の養子に迎えた。それが元で、本来は同じ立場である他家の人間に「なんだかんだで同格じゃん」とナメられ、反乱も相次いだ。そんな不協和音の

武田信玄

隙をつこうと北上してきたのが武田信玄である。

そんな大ピンチの折、27歳の謙信は、「引退します。高野山に行って修行してきます。遠くから越後のことを見守っていますのでヨロシク」と言って、リアルに城を出てしまったのだ。

真の狙いは、言うことをきかない部下たちに緊張感と一体感を与えるためだが、戦国時代にトップ自らがその座を投げ出すなんてあり得ないこと。

普通の人がやれば「ブラフ」とバレてしまうが、数々の奇行のおかげで「こいつならマジでやりかねん」と部下たちはビビり、謙信に頭を下げて、すべてうまくいった。いつの世でも、独立独歩の変人は無敵である。

所領(しょりょう)でも位(くらい)でも争った終生のライバル

信玄VS謙信、勝者はどちらか？

常に比べられる信玄と謙信。結局、どちらが勝者だったのか？

結果的に信濃の北部まで平定した信玄の勝利。そう判定する向きは多い。しかし、江戸時代にまで家を残したのは上杉家であり、また、ある基準においては明確に謙信に軍配があがる。

生前からライバルだった2人は、川中島の戦いだけでなく、「格」でも争い、「従四位下」という同じ位（位階）を得ていた（ちなみに、徒競走での1位、2位も元はこの順位が由来）。

しかし、役職（官職）については、謙信のほうが信玄よりも格上の「関東管領」をゲット。同職に就くと、特別な輿に乗れて、赤い傘を使えるという特典があった。端から見ればどうでもいいメリットなのだが、当事者にとっては違うらしい。信玄は嫉妬のあまり、禁じ手を使うのである。

出家して仏門に入り、宗教界で最上級の

まるで別人のようだが、左は、1572（元亀3）年、京をめざした信玄が記念に描かせたという安土桃山時代の巨匠・長谷川等伯の筆による武田信玄像（高野山成慶院所蔵）と、右は別の武田信玄像（高野山持妙院所蔵）

「大僧正(だいそうじょう)」という、関東管領よりずっと格上の役職を金で買ったのだ。

その、なりふり構わぬ振る舞いが、後年、思わぬカタチで泣きをみることになる。

江戸時代になって、信玄の子孫を名乗る幕府の重臣が、謙信よりも位を上げようと画策。朝廷に金を払って位を買おうとした（これを死後贈位(しごぞうい)という）。

ところが生前の「大僧正」という仏教界の役職がネックとなり、「もうこの人、仏教界で偉くなりすぎ。俗世の位をあげるのムリ」と拒否されてしまった。

時代はさらに新しくなって明治時代。ときの政治家たちは、昔の武将たちに位をばらまいた。おそらくや民衆受けを狙ったものだろう。

上杉家は元大名として貴族扱いだったので、謙信は従二位を授かったが、幕府が滅んでバックがいなくなった信玄は従三位にとどまってしまう。

さらに明治以降は、有名な人を神様に奉って神社をつくるのが大流行したのだが、ここでも謙信の完勝。明治5年、早くも山形県米沢市に上杉神社が創設され、さらに明治時代には元の領土だった越後（新潟県）にも春日山神社がつくられた。

だが、信玄をまつる武田神社（山梨県）は、大正時代になってからと大きく出遅れてしまう。

さらに神社の格でも、上杉神社は、天皇以外の実在の人物を祀(まつ)る神社としては最高の『別格官幣社』にランキングされたが、武田神社は、うんと格下の県社であった。それなのに、現在の大河ドラマや小説では、信玄のほうが圧倒的に人気なのだから不思議なものである。

真田親子がバラバラになる涙のシーン

「犬伏の別れ」の背景にあった壮大な計画

真田幸村

戦国武将で人気ナンバー1と言える真田幸村には、偉大な父・昌幸と兄・信之がいた。

この3人は、関ケ原の戦いを機に信之が東軍、幸村と昌幸が西軍と親子がバラバラになってしまう。

血族が敵味方に別れるケースは源平合戦でもみられたが、歴史の授業などで語られるのは、どちらが勝っても負けても「家は残る」という戦略だ。

しかし、このときの真田一族の場合は若干事情が異なる。

そもそも真田家は、主君の武田を家康に滅ぼされるし、直接の戦争をしたこともある。基本的に徳川とは仲が悪かった。

また、武田滅亡以来、親密な関係にあった上杉とは信頼関係を保っており、反徳川に回るのは自然なこと。上杉も徳川とは敵対関係にあり、一触即発だったからである。

そこで昌幸は、大胆な作戦を考えた。上杉や佐竹と手を組み、徳川を包囲するのである。これが決まれば、上杉将軍、真田副将軍ぐらいにはなっていたかもしれない。家康は、この動きにまったく気づいていなかったのだから。

しかし、これを一気にぶち壊したのが石田三成である。昌幸には何も告げずに関ヶ原への挙兵を果たし、事後報告というカタチで「挙兵しましたので、よろしく♪」と一方的な書状を送ってきたのである。

「前もってお知らせしないですみませんでした。ただ、家康が大坂にいるときは、みなさんがどんな気持ちかわからなかったので、連絡しないで内緒にしておきました」

三成の挙兵が事前にわかっていれば、別の包囲作戦もあったであろう。

東西の大合戦が決まったとき、真田親子が袂(たもと)を分けた場所は、佐野ラーメンで有名な栃木県佐野市。当時の地名から取って、「犬伏(いぬぶし)の別れ」と言われている。

このときは三成の挙兵直後のことで、西軍、東軍、どちらが天下をとるかなど、誰にもわからない状況だった。それだけに昌幸・幸村親子が西の豊臣方を選んだのは何ら不思議はない。

誤算だったのは、兄の信之である。突然、「家康にもいいところがある」などと言い出して、東軍についてしまったのだ。家康は、よほど嬉しくてはしゃいじゃったのだろう。信之のことを「奇特千万（信じられないほど変な奇跡）」などと、けなしているのか褒めているのか、よくわからない喜び方で手紙を送っている。

「お父上が裏切ったのに、あなたは私に忠節を誓ってくれるのは大変うれしく思います。上田城は、お父上の跡取りとなりますから、当然、あなたに与えます」

結果的に兄が勝ち、真田の家名と城は保たれたが、真田の大戦略は「家名存続」などという小さな話ではなかったのだ。

真田幸村

本名は信繁です
真田幸村のぶっ飛び伝説3連発！

江戸時代に徳川家康は「神君（しんくん）」と呼ばれ神様扱いだった。その家康をきりきり舞いさせたことで、真田も憧れの対象になった。

とくに幸村は、悲劇的な死から源義経に並ぶヒーローとして扱われ、さまざまな伝説が作られている。トップ3を紹介していこう。

幸村最大の伝説といえば、「幸村」の名前そのものだ。信じがたいことだが、真田幸村という名の人物は歴史上、存在しない。

生前の名前は「信繁(のぶしげ)」で、江戸時代になって突如、「幸村」と呼ばれ2016年のNHK大河ドラマ『真田丸』放送まで定着していた。多くの歴史研究家が、どうして幸村になったのかを調べているが、これといった決定打はない。確かに祖父の幸隆も父の昌幸も「幸」の字が含まれており、幸村でも違和感はない。だが、やはり真相は不明のままだ。

もうひとつの伝説は、かの有名な真田十勇士である。

十勇士とは、講談本(今で言う漫画みたいなもの)の『立川文庫真田幸村』に出てくる幸村の部下たち10人のことで、世の中に初めて登場したのは大正時代だ。

①猿飛佐助……十勇士の筆頭。忍者
②霧隠才蔵……伊賀出身の忍者
③穴山小助……信玄の弟、穴山梅雪の甥。幸村の影武者
④三好清海入道……鉄の棒を振り回す怪力の僧侶
⑤三好伊三入道……清海の弟
⑥由利鎌之助……鎖鎌の名人

⑦筧十蔵……………鉄砲の名手
⑧海野六郎…………真国家の古くから使える参謀
⑨根津甚八…………幸村の影武者
⑩望月六郎…………幸村の影武者

真田一族は、武田や徳川などの強敵を渡り歩いており、諜報活動に長けていたことは歴史的な事実である。そのため忍者の存在が殊更クローズアップされたのだろう。

ラストの伝説は死に際だ。

大坂夏の陣。幸村は、3度も家康の本陣に突撃。限界まで疲れて休んでいたところを、福井藩の兵士に見つかった。そこで「おれが幸村だ。首をもっていくといいぞ」と潔く首を差し出したという、世にも潔い最期が語られている。

ところが最近、福井で新しい史料が発見され、この話が思いっきり覆される。

それによると、言い伝えられているような粋な会話は一切なく、激しい混戦のため誰の首とも分からず、戦いが終わって落ち着いてから、「もしかして真田の首じゃないか…」と初めて気づいたというのだ。

いずれにせよ幸村が、徳川家康に三方ヶ原の戦い以来の本陣崩壊を見舞わせたことに違いはない。戦国史上、最強の戦闘部隊長として今後も語り継がれていくのだろう。

真田家の家紋

ドラマでも有名な「六文銭」。三途の川の渡し賃を意味し真田氏の覚悟を表している

戦国時代100の大ウソ
十勇士たちは幻夢なれども
徳川家康を
死線まで追いつめた
真田幸村

幸村

父上!

徳川の軍勢
20万が大坂城を
包囲いたして
おります

うむ
行ってやれ

しかしながら私などが行っても
父上には遥か及びません
幸村!

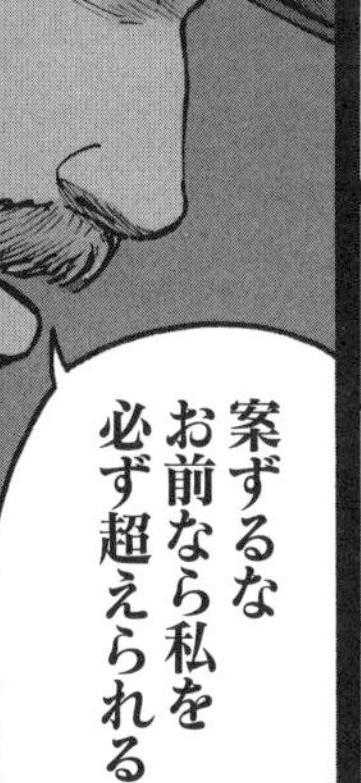
案ずるな
お前なら私を
必ず超えられる

父上……

徳川軍本陣
何!?

真田昌幸が入城しただと!?
いえ！息子の幸村です
ホッ
幸村か…
たとえ息子の幸村とて勇将！

勇将ではあるが…
知略の上では父昌幸の足元にも及ばん！

大坂城の弱点である南側を
徳川軍の攻撃が集中すると見た
幸村は城の総構から
張り出す形で砦を築いた
これが有名な
「真田丸」である
真田丸

大阪冬の陣
ワー
よいか！
敵が総構に向かえば
この出丸から
横矢を入れろ！
逆に敵が
この出丸に向かうなら
今度は総構から
横矢を入れるのだ！
わかったたか!!
はっ!!

いかがした？
小助！
これはまさしく
上田城の昌幸様の
戦略……

まるで亡きお父上を
見ているようじゃ

小助！
敵を挑発し
近くまで
引き寄せろ！
何？
小助！

敵を挑発し
近くまで
引き寄せろ！
御意！
そうじゃ！ これじゃ！
これぞまさしく
真田の戦術！
お見事です
幸村様！
これなら
勝てましょうぞ

真田の奮戦により
徳川方は甚大な
被害を受けた。
この大坂冬の陣
における
徳川方犠牲者の
8割は幸村勢に
よるものであった
その後
合戦が
長期化する事を
恐れた家康は
休戦の講和を
成立させ
大坂の陣は
終息したかにみえた

が、しかし、慶長20年
戦火は再び
おとずれる
「大坂夏の陣」である
城は徳川の知略により本丸を除く、全ての堀や
曲輪が破却され
裸城となっていた
籠城が出来ない
豊臣方はもはや打って
出る以外の選択はなかった

豊臣家も
これまでと
あらば……

ダン

狙うは家康の首
ただひとつ!
幸村は玉砕覚悟の
捨身の攻撃を決意

ゆくぞ!
おぉー!

さらに浅野の
裏切りにより
全体に混乱が
拡大しており
ます

な……なんと……
またしても幸村か！

引けっ！
引けっ！

殿ーーっ
佐助！
大成功だ！
浅野が裏切ったと
流してやりました！
徳川軍は大混乱だ！

でかしたぞ！

真田十勇士、見参！
おまえたち！
殿ーーっ！

殿ーーーっ
才蔵！

殿はオラのこと
知らねえって
言うけど
オラたち
真田十勇士たぁ
あんたと共に
散ってゆく

名もなき漢たちの
代名詞なんじゃ
ねぇのかい!?

今、お前たちは
こうして俺と共におるぞ！

この戦いで幸村は家康を切腹寸前まで
追いつめるも敗北に終わる

徳川家康を死線まで追いつめた漢
真田幸村――
戦死 享年49

最初は別の大名にご奉仕

『信長命！』だったわけじゃございません

豊臣秀吉

秀吉というと信長の草履を暖めるなど〝オンリー・のぶなが〟のイメージが強い。ところが、15歳の頃、信長以前に仕えた武士がいた。

その名は松下長則（まつしたながのり）。松下家は今川氏の家来だったが、主家が滅んだあとに、わずかな禄で徳川家康の部下になった。

それを知った天下人の秀吉は、家康に頭を下げて「お世話になった人の息子さんだから」と、同年令の松下之綱（まつしたゆきつな）を、なんと1万6千石もの大盤振る舞いで、大名にしてしまったのだ。

いったい松下家は若き日の秀吉に何をしてあげたのか。

理由は不明だが、案外、信長への紹介状を書いてあげたのかもしれない（ココらへんの資料は残っていない)。

いずれにせよ秀吉は信長オンリーだったわけじゃなく、本能寺の変を機に、本性を剥き出しにしていく。織田家に仕えていたときは従順にしていたが、いざ天下を握ると、信長の子や孫に対して、途端に厳しくあたり始めたのだ。

たとえば信長の息子信雄(のぶかつ)に対しては、明らかに底意地の悪い対応をとっている。

あるとき、秀吉が戦の褒美として所領を分け与えると言ったところ、信雄は「いえいえ、ご遠慮します」と礼儀として断った。が、それを見て逆切れ。もともとの領地まで召し上げてしまったのだ。恐らく信雄が「ありがたく頂戴いたします」などと申し出たら、「礼儀がなってない!」とブチ切れていたに違いない。もはや理屈ではない。

そもそも織田家が大名として残っていないのは、秀吉に潰されたからだ。信長(弟含む)の子孫で大名となったのは4家あるが、石高(こくだか)は最高でも2万石止まり。天下統一の下地を作った一家の末路としてはあまりに悲惨である。

では、もし秀吉と信長が戦っていたらどうなるか?

そんな面白トークに答えたのが秋田藩の殿様・佐竹氏だった。即座にこう切り返したという。

「秀吉が勝てるわけはない。だって完全にびびってたもん」

現代でも秀吉が小さく見えるのは、ある意味史実どおりなのだろう。

熟女好きの多い戦国武将の中で

秀吉だけが傾城（けいせい）にハマっていた

豊臣秀吉

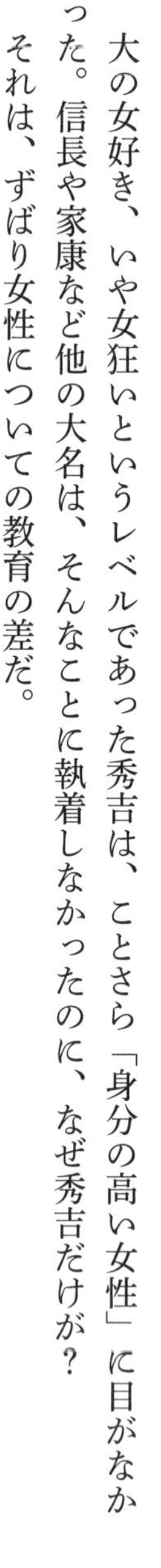

大の女好き、いや女狂いというレベルであった秀吉は、ことさら「身分の高い女性」に目がなかった。信長や家康など他の大名は、そんなことに執着しなかったのに、なぜ秀吉だけが？

それは、ずばり女性についての教育の差だ。

国を治める人間が女性、とくに美女にウツツを抜かすと身を滅ぼす例は、古今東西、枚挙にいとまがない。傾城、つまり城を傾けるという言葉が美人を意味することからもご理解いただけよう。

そのため戦国時代でも、信長や家康など大名の家に生まれた人間は、女性について徹底的に帝王学を叩き込まれている。

『処女がいいとか、年下のお嬢様がいいとか言うな。むしろ未亡人や年上こそが大名の妻にはふさわしい』

意外であろう、こんな教訓が普通にまかり通っていたのだ。子を産ませるならば若い娘の方がよい。それも出自の良い家の方が、優秀な子供も生まれてきそうである。が、実際に武将の子供たちを見てみればわかる。信長の、長男と次男の母は未亡人。ほかの妻も、名門の出は1人もいない。家康は「熟女、人妻好き」として有名だが、これも性癖というよりも幼少時の教育の結果である。3男（二代将軍秀忠）と4男は未亡人に産ませ、6男と7男の母にいたっては子持ちの女性。しかも、2人とも家柄も良くなく、華美な装いをまとうわけでもなく、生身の人間として自分にふさわしい妻を選んでいたのだ。

しかし、成り上がりの秀吉は、戦争や政治についていても、女性についてはそんな高度な教育は受けてない。出世すればするほど、格上の女性が欲しくなっていった。

秀吉には、名前がはっきり分かる側室が6人いる。有名な淀君（信長の妹「お市の方」の娘）の他、三の丸殿（信長の娘）、姫路殿（信長の弟の娘）、松の丸殿（名門京極家の娘）、三条殿（蒲生氏郷の妹）、加賀殿（前田利家の娘）と、とにかくお姫様ばかりなのだ（不思議と公家の姫様はいない）。

宣教師のルイス・フロイスは、そんな秀吉のことをこう語っている。

「主だった大名の娘は養女になり、彼女たちが12歳になると自分の愛人にしていた。美人という評判を秀吉が聞くと必ず連行した。あいつは獣」

さすがに養女を愛人にしたというのはウソ臭い。養子は正妻がちゃんと面倒をみていたし、秀吉もなかなか実子ができなかったので子煩悩だったといわれている。が、秀吉の女好きが相当だったのだけは、間違いないだろう。

甥っ子に対して「俺みたいに女に狂うなよ」と伝えた記録が残っている。自分の病気は理解していたようだ

豊臣秀吉

蜂須賀小六との出会いからしてウソばかり

墨俣城は一日にして成らず

貧しい百姓から天下人になった豊臣秀吉は、日本史上最高の下克上マンである。そんな人気者だから伝説もたくさん生まれた。

その一例が、墨俣(すのまた)の一夜城だ。

1566年、信長が隣国・美濃の斎藤龍興(たつおき)（道三の孫）を攻めるため、国境線の川の対岸の墨俣に城をつくる計画を立てた。信長は、佐久間信盛、ついで柴田勝家に命じたが、いずれも斎藤方の攻撃で築城を断念。

そこで秀吉にやらせたところ、山賊だったといわれる蜂須賀小六ら地元の土豪を使い、きわめて短期間で城を築くことに成功した。一晩で完成したかどうかはともかく、敵に察知されないほどの短期間で作ったことは長らく史実と考えられてきた。

墨俣という場所は、大河の長良川の渡河点で、交通の要衝のため、再三、戦場になっている。そんな重要な場所に、なんで斎藤は先に城を作らなかったのか。どれだけ愚鈍なんだ。

と、思っていたら、近年、研究者が史料を、それもかなり重要な「信長公記」を見直したら、なんと秀吉が墨俣城を作ったとされる5年前に、すでに城が存在していたことが判明した。

これは、またまた江戸時代の人間が勝手に作り話をしたのか？　と思って、さらに調べてみると、なんと江戸時代の史料にも、１５６６年に秀吉が築城したという話はナッシング！

では、どうして一夜城の話が史実として、まかり通っていたのか。

実は明治40年、当時の偉い歴史家が、江戸時代になってできた多くの秀吉神話を勘違いしてしまったというのが真相だ。かなり偉い先生だったので、最近まで誰も疑うことなくきてしまった。

今では墨俣築城自体がウソというのが有力視されている。斎藤との戦いを細かく記す「信長公記」に墨俣を巡る戦いが一切ないのが一番の証拠だ。

秀吉は、小田原城を攻めたときは、本当に一夜城を作り上げた（かのように見せかけた）ので、そのデモンストレーションも影響したのかもしれない。

ちなみに、墨俣築城のキーマン・蜂須賀小六との出会いも想像の産物で、次のような逸話が残されている。

若い頃、秀吉は浪人として三河を放浪していた。そんなある日、仕事もなく、矢作川（やはぎがわ）にかかる橋で寝ていたら、野武士だった蜂須賀小六の一団にからまれた。このとき小六は、秀吉の凛とした態度を気に入り、仲間になる。俗に言う『矢作川の出会い』で、ドラマでは必ず登場する名場面だ。

ところが哀しいかな、これも完全な作り話。というのも、当時の矢作川に橋は架かっていなかったことが明らかな事実だからだ。
橋が架かったのは江戸時代になってからで、それまでは渡し舟だった。

豊臣秀吉

私の渾名は〝禿げネズミ〟です

猿とは、なんと失礼な！

信長が秀吉のことを「猿！ 猿！」と呼んでいたという話は、有名すぎるほど有名だろう。おかげで、秀吉を想像するとどうしても猿顔になってしまう。実際、この本に出てくる秀吉キャラも、どうみても猿だ。

しかし、秀吉を猿と呼んだのは、彼をチラッとしか見たことがない、下っ端の武士や庶民くらいだった。

肝心の信長は何と呼んでいたのか？ すばり、「禿げネズミ」である。

テレビドラマの大半は、秀吉のことを「猿！」と連呼しているため、信じがたい話かもしれないが、実際、信長が秀吉の奥さん宛に送った手紙に「禿げネズミ」の記述が残されており、まず間違いない。

そう考え改めて肖像画を見てみると、確かに猿よりもネズミに近い気がしてくる。秀吉の骨格や表情がやせ細っているせいであろう。

戦国時代というのは、生まれによって栄養状態が劇的に変化した。ほとんど見た目で生まれがわかったのだ。

現代でも70代以上の団塊の世代では、身長が１７０センチをこえると背が高いほうだが、いまの若い人は１８０センチをこえないと背が高いとは言わない。それ以上の体格差があったのが戦国時代だった。

体格は、基本的には食生活、摂取カロリーに左右される。小さいとはいえ、支配階級に生まれた信長や家康などは、体格はよく、野良仕事もしないので色白だったと思われる。

一方、ホームレス少年だった可能性の高

狩野光信が描いた豊臣秀吉像（高台寺蔵）。確かに猿というよりはネズミ……

い秀吉は、当然、ガリガリで、貧相な表情にならざるをえない。見た日で不利な秀吉は、人の何倍も働き、何倍も実績をあげて出世していった。

信長の下にいたときは、「禿げネズミ」と言われてバカにされても、笑って受け入れていた秀吉だった。が、自分が天下をとると豹変する。自分を批判する者や、貧しかった時代を知る者などを次々に冷酷に処刑、排除していく。その行動たるや、信長以上に「魔王」そのものだ。

秀吉が能天気でいつも明るい好人物なんていうのはウソ。どすぐらいドロドロとしたコンプレックスを出世のパワーに変えてきた人物なのだ。

秀吉の出自についても闇が深い。実母は、かなり危ない商売をしていたらしく、父の違う兄弟がたくさんいたという。そもそも実父すら不明である。

天下人になった秀吉は、そうした兄弟を探しては、「歓迎する」と言って城に招き、次々と処刑していった。

猿は猿を殺さないが、秀吉に言っても無駄である。禿げネズミなんだから。

豊臣家の家紋

信長から秀吉へ下賜された
「桐紋(五七の桐)」

だ、誰がこんな話にしやがった？

ウンコを漏らしたときの「しかみ像」は家康じゃない

徳川家康

小中学時代に「ウンコ漏らし」などと渾名を付けられたら最後、もはや普通の学校生活は送れない。が、世の中には、ウンコを漏らして天下を取り、おまけにその直後の姿を絵画として残した、とされる大名がいる。徳川家康だ。

家康は戦上手で、生涯で本当の危機といえる戦は、武田信玄と戦った三方ヶ原の戦いと、大坂夏の陣で真田幸村に追い込まれた計2回だけ。ウンコを漏らしたのは、三方ヶ原の戦いだ（実はウンコも漏らしていないが）。

1573年、武田軍が領地に侵入してきた。城へ来るか、野戦となるか。浜松城に籠る家康は、信玄の軍団に怯えながらも戦況の変化を待ち構えていた。

が、驚くべきことに武田軍は、家康の籠る城を無視して、信長の尾張へ向かってしまったのだ。

「家康は戦うまでもない小物だからね♪」

すっかりバカにされたと感じた家康は激怒。慌てて城を出た。

それこそが信玄の思う壺であった。武田軍は追ってくる家康を待ち構えており、徳川軍をフルボッコ。本陣（殿様を守る最後の防御網）すら壊滅された家康は、恐怖のあまり戦場でウンコを漏らしたのである。

大人になって漏らせば、誰だってこんな顔になっちゃうよね（実は家康の肖像にあらず）

命からがら城にたどり着いた家康に、部下が「ウンコ漏らしてますけど」と言うと、家康は「いや（食料として持っていた）味噌がつぶれただけだ」と言い訳をした。
この話は徳川の老臣が『三河物語』の中で語ったもの。本の中身は武勇伝ばかりで、家康を神格化しすぎるなど、信憑性は高くないと言われているが、なぜかウンコを漏らすという話だけ口を滑らせたかのように記されている。そして、この時の敗戦を教訓に活かそうとして家康が絵師に描かせたのが『しかめ像』という有名な絵で、苦渋の表情を眺めては『感情で動いてはいけない。冷静にならないといけない』と反省したという。

　しかしそんなエピソードも、近年、徳川美術館学芸員・原史彦氏の講演会で「ウソですよ」と新説が発表された。

　ウソというのは「家康が戒めのため描かせた」という部分であり、実はこれ、徳川美術館開館時に創設者の19代徳川義親氏がサービス精神から語ったものだという。よって、絵のモデルが誰なのかは、現時点で不明のまま。家康が「ウンコを漏らし→絵にした」という話だけまことしやかに伝わってしまったのだ。

　ところが、ウンコを漏らしたという話自体が江戸時代前は確認できず、どうも冤罪っぽい。

徳川家康

我慢の象徴・家康様が残した遺言は

実は水戸黄門が考えました

「鳴かぬなら　鳴くまで待とう　ホトトギス」

この川柳に象徴されるように、家康が辛抱強いのは間違いなかった。死ぬときには「神君御遺訓」と呼ばれる、こんな立派な遺言を残したとされている。

◆人の一生は重荷を背負って遠い目標を目指していく道を行くようなものだ。急いではならない。

◆不自由なことが当たり前と思っていればなんてことはない。心に野望を抱いたときは、つらいとき貧しいときのことを思い出すべし。

◆「堪忍」こそが、無事であること、長く久しく続くことの秘訣である。

◆「怒り」は敵と思え。勝つことばかりを経験して、負けを知らないと、いずれ害がその身に及ぶだろう。

◆自分を責めて、人を責めるな。「及ばざるは過ぎたる」よりよいものだ。

うーむ、含蓄がある。現代に置き換えても、間違いはないだろう、人の世の真実であろう。さすが家

家康公遺言碑（愛知県岡崎市岡崎公園）

水戸光圀の明治時代以降に書かれた肖像画。
印刷画または肖像画を写した写真の可能性もあるという

康様！

いや、ちょっと待った。実はこの遺言、作者は家康でなく、水戸黄門こと徳川光圀（1628～1701年）だったのだ。

これらの言葉があまりに立派すぎるため、「諸国漫遊」（実際にはしていないが）するような道楽じいさんではなく、家康のほうが似合っている。そんな考えで、いつの間にか、筆者がすり替わってしまったというのが真相だ。

ちなみに、遺言だけでなく、家康の死因についても間違った通説がまかり通っている。

皆さんも聞いたことがあるかもしれない。「鯛の天ぷらにあたって死んだ」という説だ。

が、本当の死因は胃がん。それも末期だった可能性が高い。家康の驚くべきところが、そんなギリギリの状態で、しかも75歳という当時の超高齢でも狩りをしまくっていたことだ。あまり想像がつかないかもしれないが、当時の狩りというのは、レジャーではない。現代に喩えてみれば、トライアスロンくらいハードなスポーツだったのだ。当然、腹も頭も相当な激痛だったはず。

にもかかわらず、家康は弱音を見せず、おそらくや食いたくもない「天ぷら」を強がって食っていたところで亡くなったのだろう。

さすが戦国時代を生き抜いた人は、根性がハンパじゃない。

徳川家康

家康影武者説が流れたわけ

身代金5千万円を50万円と読み間違い

家康の辛抱強さの原点は、幼少時代にある。

幼い頃、人質として隣国の大名・今川家に送られたのは有名な話だが、このとき部下にとんでもない野郎がおり、お子様家康を今川の敵方・織田家へ売り払ってしまったのだ。完全な営利目的誘拐で、報酬は５００貫文。現代の価格にすると５千万円くらいだ。

いくら当時の徳川家が落ち目だったとはいえ、大名の息子でこの値段は安すぎないか？　織田家では、この後、買い取った家康を、戦争捕虜の人質交換として今川へ送ったらしい。そのため家康は、「タダでさえ身の狭い人質生活が、さらに気まずいものになった」と後年つぶやいている。

幼少期からの、こんな苦労が辛抱強さを生み、後に天下統一へとつながるのだから、若い頃の苦労は５千万円払ってでもするべきってことだ。

しかし、このことが思わぬトンデモ戦国話を生んだ。徳川家康、影武者説である。原哲夫の漫画『影武者徳川家康』があるように、この説は、意外に支持者がいる。

なぜ、こんな話が世に送り出されたのかというと、先の身代金目的誘拐と関わってくる。明治時

代になって、家康が誘拐されたという書物を見つけた人が仰天のあまり（そりゃ江戸時代にそんなものは公にならない）、「500貫目」を百分の1の「5貫目」（50万円）と読み違えたのだ。「やっすぅ！　これって身分の低い影武者が誘拐されたから金額も安かったんでは？」と発表したのが直接の原因である。

ちなみに、家康は「気まずい人質生活だった」と語っているが、それは自業自得な一面もあった。今川家に送られ、初めて迎えたお正月。殿様の前に披露されることになり、家臣が集まる前に1人でちょこんと座らされていた。

「あの子供、誰？」

「松平の子だってさ」

ザワザワ、ガヤガヤ。周囲に流れる居心地悪い緊張感。これに耐えられなかったのか、家康は突然立ち上がると、縁先にいき、立ち小便をはじめたのだ。

のちにこの話は家康の「豪胆さ」を物語るエピソードとして、徳川家の正式な歴史書『徳川実紀』に盛り込まれているが、普通に考えればアホな話であろう。今川家ではドン引きだったはずだ。

最後に蛇足。家康は5千万円で売買されたが、当時、一般人の子供の奴隷は2〜3文、つまり20〜30円だったというから驚くほかない。

織田信長に切腹を命じられたという徳川信康

真相は徳川家の内紛だった!?

徳川家康

まだ信長が生きている頃の話。徳川家康の長男の信康が非行を繰り返すと耳にした信長が、母親（つまり家康の妻）もろとも殺すよう命じ、家康は渋々それに従い、息子を切腹、母は暗殺したという事件がある。

このとき長男は、反乱を起こしたわけではない。信康が極めて優秀な武将だという噂を聞きつけた魔王・信長が、将来の芽を摘むため殺したというのが今の世の常識である。

しかし、これはトンでもない冤罪だ。信長が生きている時代の史料には、信長が命令したという「噂」すらなく、家康が天下を握った後になって初めて幕府の「公式見解」として出されたのだ。

実際のところ、信長は、信康に嫁いだ娘から「夫が乱暴者で困ります」という話を聞いた程度のことだった。

では、なぜそれが切腹にまでなったのか。背景にあったのは、信長の横暴でもなんでもなく、徳川家の内紛のせいだ。

この頃家康は、三河国（愛知県東部）から東へ領土を広げようとして、本拠地を東隣の遠江国（静岡県西部）の浜松に移していた。三河国は息子の信康にお任せ。浜松に付いていった家臣たちは、合戦に勝利すればするほど、報酬が増えていった。

一方の三河国はどうだろう。息子の信康に付いた家臣たちは、新しい領地が増える見込みはナッシング。なにしろ、西隣は信長の領地なのだ。そこで、三河組がぶち切れて、息子を御輿にクーデターを起こそうとしたのが真相だった。

戦国時代には、当主の首のすげ替えは当たり前のこと。武田信玄も斎藤道三の息子も、父親から家督をゲットしたのは有名な話であろう。家康も身内から狙われてしまい、仕方なく息子もろとも処分したのである。

倫理も道徳もない戦国時代ならまだしも、平和な江戸時代になってから、父親が息子を殺したという汚点が広く知れわたるのはなんとも具合が悪い。息子殺しを家康は年を取ってからずいぶん後悔したようだ。子供が犠牲になる内容の舞を見れば、ハラハラ涙を流すし、関ヶ原の合戦の最中にも「年を取ってからの戦は体がきつい。長男がいたらこれほど苦労はしなかったのに」などとつぶやいたりする。

そんな家康の姿を見ていた部下たちが、息子殺しの罪を織田信長に押し付けてしまったというのが真相だ。

徳川家を呪う

妖刀・村正の正体

徳川家康

日本史で怪盗といえば石川五右衛門だが、快刀となると村正というのが定番。室町時代に伊勢（三重県）の刀工が作ったブランド品だ。

戦国時代には数ある刀ブランドの一つに過ぎなかったが、ある人を傷つけたものだから、ヤバイ刀の代名詞になってしまいました。徳川家康だ。

家康が息子を切腹させた時のこと。家康が部下に「息子を介錯（切腹後に首をきってとどめをさすこと）した刀は誰の作か」と尋ねると、「村正です」との答え。それを聞いた家康は驚いた。

「妙なことがあるもんだ。わしのじいちゃんが裏切りにあって殺された刀も村正だった。わしが小さいときに小刀で手をけがをしたのも村正。こいつは徳川家に障（さわ）りがある。うちにある村正の刀は全部捨てろ」

じいちゃんが殺されたのはともかく、小刀でけがしたなど、完全な言いがかりであろう。

それでも、権力者の言葉というのは、現代のマスコミと同じくらいに影響力があり、噂は一人歩

思わぬ形で価値が跳ね上がった妖刀・村正。怪しい光を放っているように見えるのはひとり歩きした伝説のせいである

きしてしまう。

家康が何気なく吐いた言葉は、神君とその息子を傷つけた刀として、江戸時代に忌み嫌われ、室町時代から続く名工としての村正も「閉店」せざるをえなくなった。呪われたヤバイ刀として、銘の「村正」という部分を削りとり、二束三文で売られたこともあった。

ところが、幕末になると、家康を傷つけた刀は、倒幕を目指す維新の志士たちにとってはおめでたい刀に大変身。突如、人気が爆発してしまったのだ。村正の刀も、ここぞとばかりに切れ味を増したことだろう。

有能なマツが利家のケツを叩いた？

加賀百万石を作った男は そんなにヤワじゃございません

前田利家

前田利家と言えば加賀百万石の創始者である。漫画『花の慶次』の主人公・前田慶次はその甥。同作品の中で、隣国のライバル・佐々成政が前田の末森城を攻めたとき、利家は「金がかかるし、どうせ間に合わない」とそろばんを弾きながら、見捨てようとした。

ところがそこで妻のマツが味なことを言う。

「そんなに金が大事なら守りは男にまかせるから、女たちだけで打って出る」

ケツを叩かれた利家は、そこで慌てて救援に向かったことになっている。

ところがこれは、明治〜大正時代に女性の地位が向上したことで生まれた話。

「たっぷりためた金銀財宝を戦場に連れて槍でも持たせればいい」と、マツが利家に皮肉ったという話を『花の慶次』でもフィーチャーしたものだ。
明治や大正時代にできた物語は、実に眉唾が多いので注意が必要となる。

末森城の戦いには、ちゃんとした戦闘直後の記録や手紙が残っている。利家は合戦の情報を入手すると、夜中にもかかわらず、わずかな兵を共にまっさきに救援に急行していた。むしろ、渋る部下の意見を退け、勇猛なる決断したのが利家だった。

戦国時代には女性の言動（それどころか名前すら）は基本的に記録に残さない。もちろんマツが「あなた早く行きなさいよ」と言った可能性もゼロではないが、前田利家も信長お墨付きの武将だけあって、やはりイケイケの勇士であったのだ。

甥の『花の慶次』を持ち上げるために、けなし落とされた前田利家。可哀想です。

甲冑（かっちゅう）箱にソロバンを入れるほどお金大好き

加賀百万石のマネー術

前田利家

前田利家は〝金の亡者〟という話がなぜ明治以降に作られたのか。理由はある。

利家は実際のところ、金には結構うるさかった。伊達政宗など、ほかの有力な大名たちへ金を貸してもいた。

パチ パチ パチ
パチ
パチ
パチ
パチ
パチ

2番じゃダメなんですか？

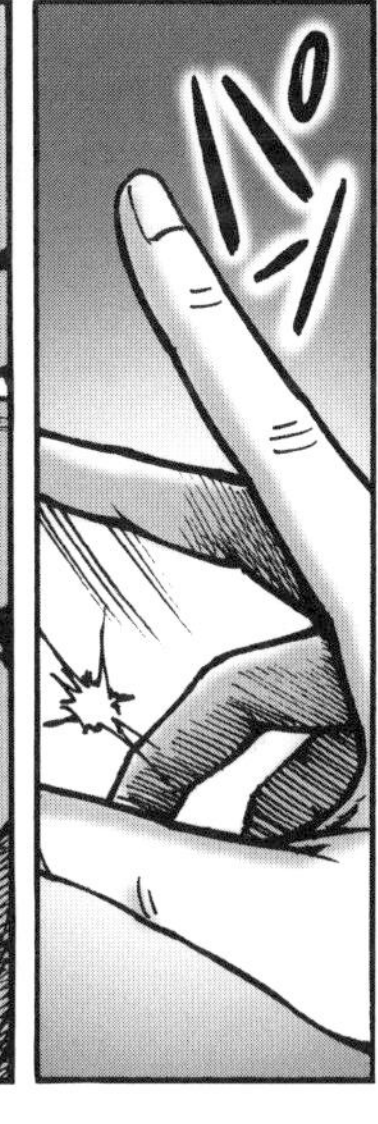
パン

ダメです！
そんなだから原哲夫さんに誤解されるのよ！

戦国時代
100の大ウソ
第一章
武将だって人間だもの

一説には、甲冑を入れる箱には必ずそろばんを入れていたというから、よほどお金を数えるのも好きだったのだろう。

「金があれば、人間も世間も怖くない。金がないと世間はおそろしいものになる」

まるで、ホリエモンみたいな名言まで残している。

お金を大事にするようになったのは、若い頃の苦い経験があったからだ。

利家は織田信長に仕え、子供の頃にかわいがられた（もちろん性的な関係もアリ）。20人しか選ばれない親衛隊「赤母衣衆（あかほろしゅう）」（赤と黒で10人ずつ）の筆頭でもある。

ところがあるとき、信長がかわいがっていた茶坊主が利家に無礼なことをしたので、こいつを斬り捨ててしまった。怒った信長は利家を追放。すでに10歳年下のマツ（結婚当時12歳）と結婚していたのに、突然無職になって経済的に困窮した時代を過ごさねばならなかった。

だからといって「ケチ」というわけではない。お金の重要性と使い方を理解していた。貸した大名が味方になれば、借金を免除するなど、金の力をたくみに利用し、ついに江戸幕府の外様ではナンバー1となる加賀百万石を達成したのである。

最後の傾奇者（かぶきもの）・前田利常

別名は最後の鼻毛大名

前田利常

加賀百万石を受け継いだ利家の息子で、加賀藩3代目の前田利常は、わざと鼻毛を伸ばして江戸城にのぼり、顰蹙（ひんしゅく）を買った。

かくのごとく利常は鼻息荒く話していたという説も流れている。が、それは大間違い。

「自分がバカ殿と思われていれば、家を潰してもかまわない」

利常は、伊達政宗と並ぶ最後の戦国武将で、天下の傾奇者と呼ばれた父・利家の気質を最も受け継いだ漢（おとこ）だった。

江戸城で「立ち小便禁止。罰金一両」とあれば、わざわざそこで小便をして、むしろ幕府を刺激し続けた。

鼻毛も「バカ殿」を演じたわけじゃない。「戦に鼻毛をそろえる武士なぞいない」という〝戦国バカ〟をアピールするためだった。

幕府が前田家を「バカだから安心」と取り潰さなかったのではなく、「こいつはキレるとやばい」

と思い、正面から対処できなかったのだ。正面から対処できなければ、静かに死んでもらうのが一番。利常は徳川家から常に暗殺の危険にさらされていた。

そこで彼は、「外で御馳走をふるまわれたら、一度は食べて、後でこっそり吐け」と、家族にも厳命していたくらい鋭い男だった。「酔わないために吐く」ではなく「死なないために吐く」とは、戦国大名は気が休まらないにもほどがある。

命を狙われていたというのは、決して誇張した話ではない。鼻毛大名の兄・利長も過酷な運命を辿っている。利長は名前こそあまり知られていないが、なかなか決断力のある男だった。父の利家からは「絶対に豊

臣秀頼さまを守れ」との遺言を受け、愛する母・マツを家康に人質にとられ、常に板挟みの状態だった。父の遺言を守り続ければ、前田家は徳川に潰されてしまう。究極の選択をせまられた彼は、そこで鼻毛の利常に家康の孫と結婚させ、3代目の家督を譲ると、隠遁してそのまま死んでしまったのだ。公式には病死となっているが、服毒自殺の可能性が高い。自らが死ぬことで豊臣秀頼との関係を絶ち、家を残したのだ。

前田家の家紋

梅の花びらをモチーフにした
オリジナル
「加賀梅鉢」

徳川家の家紋

時代劇「水戸黄門」で格さんと助さんが悪者を退治した際の決め台詞、「この紋所が目に入らぬか」で知られるようになった「三つ葉葵」。フタバアオイなる植物をデザイン化したもので、京都にある加茂神社の神紋「二葉葵紋」が由来なのは間違いない。家康が征夷大将軍となり幕府が創設されて以降、葵の紋は江戸時代を通じて絶大なる権威の象徴として恐れられ、無断使用どころか、粗末に扱うと罰せられるなどの法律が定められていた。実際、勝手に自分の着物に葵の紋を付けていた浪人が役人に見つかり死罪になったケースが確認されている。

確かに葵の紋入り印籠は
悪代官をも黙らせるほどの権威だったようだ

第二章

みんな戦国が好きなのさ

脇を固める有名武将と戦国社会の仕組み

直江兼続

もう愛なんて信じない
直江兼続の兜に秘められた恐ろしい神様

主君を愛し、妻を愛し、友を愛し、ふるさとを愛し、民を愛する、愛の武将・直江兼続。美しいよね。なんといっても、愛を貫くため兜の飾りに「愛」の1文字を使ったのだから。もし兼続が天下をとればラブアンドピースが江戸時代の標語となっただろう。

もちろん、そんなわけはございません。

皆さん、おそらく気づいていないだろう。兼続の兜の「愛」の下には「雲」があることを。この雲の上に、仏さんの名前の1文字を載せることで長い名前を省略するという、当時の人は誰もが知るルールがあった。

それが「愛染明王」である。兼続の主君筋でもある上杉謙信が毘沙門天の「毘」の字を御旗に使

っていたのと同じだ。

明王とは仏教界において、戦うことを目的とした珍しい神様たちで、中でも愛染明王は種々の武器を手に、怒りと暴力で悪の限りを尽くし、世の人々をあの世に送る神であった。全然、平和な愛ではない。

そんなことをいうと、さぞかし上杉家全体が恐ろしいことになっていたように思われるかもしれないので、ひとつホッとするエピソードもご紹介しておこう。

兼続が仕えていたのは、上杉景勝の父・長尾政景だ。この武将、なんと「胴上げ」の発明者と言

まぁ、本気でLoveの愛を掲げていたら、
戦国時代を生き残れるわけがないよね

われている。戦国と何の関連があるのかと思われるだろうが、まぁ、聞いてもらいたい。

政景は、米で有名な魚沼郡（新潟県）の城を治めていた。この地域には外から来た婿を村中あげて、いじめ抜くというとんでもない風習があった。

それに心を痛めた政景は、「こんなことをやっていると、この地域にはまともな男が来なくなって、いつか衰退するぞ」と考え、今度はお婿さんを「胴上げ」で歓迎するように命じたのである。

よりによって胴上げとは……。そもそもいじめ抜くという風習が意味わからんのだが、一見フザけた政策でも、実際に担ぎ上げられて悪い気がしないのも事実であろう。

今も魚沼で日本一の米が作られているのは、胴上げのお蔭かもしれない。

竹中半兵衛

不世出（ふせいしゅつ）の天才・竹中半兵衛

軍師というより名外交官です

戦国時代の〝軍師〟というと、竹中半兵衛を一番に思い浮かべる人も多いだろう。

だが、合戦で戦術を指南する専門の「職種」自体は、残念ながら日本の戦国時代には存在しなかった。

竹中半兵衛の他に、秀吉の黒田官兵衛、武田信玄の山本勘助、そして伊達の片倉小十郎など、名軍師と呼ばれる人たちには共通項がある。

それは「外交」が非常にうまかったことだ。言ってみれば、説得上手なのである。

戦国時代の最大の戦いは、刀や槍を振り回す合戦ではなく、事前の諜報活動や調略によって、オセロや囲碁のように敵を味方で取り囲むことだった。それができる人間こそが、のちに軍師と呼ばれるようになるのだ。

戦わずに敵を倒す。もっとも効率的な戦術を繰り出すのだから、あながち軍師という評価は間違っていないかもしれない。

では改めて半兵衛の歴史を振り

返ってみよう。彼には創作された物語と、はっきりとした事実の二つがある。

まずは、創作された話から。

二十歳そこそこの半兵衛は、仕えていた美濃の斎藤龍興が傲慢なので、灸をすえてやろうと、鉄壁の城（のちの岐阜城）を舎弟たち十数人と共に制圧してしまった。城を落とした半兵衛に、信長が「そのまま明け渡してくれ」と言うのを無視して、龍興に返却。自分は近江（滋賀県）に隠遁してしまう。

これが一番有名な逸話だが、残念、ウソです。

その一番の理由は、信長による美濃攻略が細部まで記された『信長公記』に半兵衛のことが一切書かれていないからだ。

半兵衛の記述はわずか3カ所しかない。

その一つが、播磨（兵庫県）侵攻作戦で、調略によって城を味方につけ、信長から銀百両をもらったという内容だ。つまり、「名軍師」とは、「名外交官」だという典型的な功績を挙げている。

ところがその翌年、36歳の若さで病死してしまう。才能溢れる外交官（軍師）の早すぎる死を悼んで、いろいろな伝説が自然と生まれていったのだ。

「信長さん！」なんて声をかけたら殺される？

とてもややこしい名前のルール

織田信長

戦国時代の名前のルールは、とにかくややこしい。例えば、秀吉が「信長さま」とか呼んでいたことはまずありえない。

織田信長の正式名は、「織田弾正忠三郎平信長」だ。これを因数分解してみると、5つの要素に分かれる。

❶「織田」は、家の名前。
❷「弾正忠（だんじょうのじょう）」は、官職。
❸「三郎」は、名前。
❹「平（たいら）」は、平氏や源氏や藤原氏ら先祖の出身母体を表す。
❺「信長」は一番有名だが、〝諱（いみな）〟といって、他人が口に出してはいけない大切な本名だった。

間違っても部下が「信長」などと口にしてはいけない。

家康の場合は、「徳川三河守二郎三郎源豪藤」だ。

家康の場合は、❶が松平から徳川へ、❷が三河守から征夷大将軍へ、❸も藤原から源へと、めまぐるしく変わった。まあ、案外適当だったということだ。

ちなみに、大名や武士同士では「三河守」などの官職で呼び合うのが礼儀。信長も、秀吉に対して最初は「木下藤吉郎どの」と手紙に名前を書いているが、出世して筑前守を朝廷からもらった（実態としては信長があげた）あとは、ちゃんと「羽柴筑前守殿」と呼んでいる。

信玄や謙信などを「音読み」するのは、上のルールから外れている。これらは名前ではなく、出家したあとの法名である。現代だと仏教であてはめるのは難しいが、ローマ教皇の「フランシスコ一世」あたりが近い。

こうした出家した人に手紙を出すのもまたややこしかった。謙信は〝諱〟にあたるので、やたらめったら他人が言ってはいけない。こういう場合は、屋号のようなものがあって、謙信の場合は「不識庵（ふしきあん）」と名乗っていたので、「不識庵殿」と宛名を書く。信玄の場合は、同じように「機山（きざん）殿」と呼ばれていたはずだ。

ちなみに、森蘭丸など「〜丸」という名前も多いが、これは奈良・平安時代に貴族で流行った「麻呂」がなまったもの。また、「〜子」とつけられたのは、相当に身分の高い女性のみだった。

今でも日本の会社で、名前を呼ばずに「課長」とか「次長」とか「主任」とか肩書で呼び合うのは、こうした戦国の名残かもしれない。

アメリカの会社などは、「社長」や「ジョブズ」ではなく、部下でも「スティーブ」とか呼ぶらしい。それは戦国時代なら〝諱〟を口に出すと同じであり、凄まじいこと。ｉＰｈｏｎｅを作り出す才能は、そういった場所で育まれるのか。

後世の人間がテキトーに名付けるから余計に混乱
間違いだらけの武将の名前
北条早雲

戦国武将の名前は、正確に書こうと思うと、ムリが出る。ちゃんと書けば書くほど「誰よ、これ？」となってしまうのだ。

例えば、小田原北条氏の始祖、北条早雲。この早雲、実は生前に「北条氏」を名乗ったことは一度もない。生きている間は「伊勢」氏であり、北条に改姓したのは息子の代からだ。本人は「北条」と呼ばれ、キョトンとするばかりであろう。

武田信玄の臣下のひとり、猛将として名高い高坂弾正も名前が面倒くさい。弾正の本当の名前は、「香坂」である。ただ、他にもあって、最も長い間使っていた名字は「春日」だった。「高坂弾正」

と呼ぶのは、我々後世の人間だけ。戦国通になりたければ、これからは春日八郎ならぬ、春日七郎と呼んでやろう（香坂の名前は弥七郎）。

鉄砲の名手、雑賀衆のリーダーは「鈴木孫市」だが、本人は一貫して「孫一」とし、「孫市」と書いたことはない。では、なんで、こんなことになってしまったのか。「市」の方が「一」よりも字画がいいよねぇ。と、勝手に直しちゃった歴史家がいたのだろう、という読みが、おそらく正解。

さらに、この人、40歳で死んだことになっているが、それはかの司馬遼太郎大先生が小説『尻啖え孫市』という作り話で、世間に知らしめたからだ。司馬先生本人も「それはフィクションですよ」と苦笑いしたらしいのだが、いまだ信じている人が多いそうだ。

影響力が強い司馬大先生だけに、彼が作った〝フィクション〟歴史の弊害はかなり大きい。本人も別に「史実」と言っていないのだから、なおさら困ってしまう。

信長の初期のライバルに斎藤龍興（さいとうたつおき）がいる。信長の義父・マムシこと斎藤道三の孫で、クーデターを起こした人物だ。この武将の本名が「一色義棟（いっしきよしむね）」といったのだが、ここまでくると本当にもう意味がわかりません。

人気漫画の主人公となった脇役2人

古田織部と仙石秀久

かつてほとんど知名度がなかった茶人大名の古田織部は、漫画『へうげもの』によって、一躍戦国の人気キャラに躍り出た。

「へうげ」というのは、織部のキーワードなのだが、一体どういう意味なのか。漢字で書くと「瓢げ」、現代語なら「ふざけている」や「グニャグニャ」といったところ。この方、フランス人画家のダリみたいに、センスの塊のような人間で、丸い器をわざとねじまげて作ったりしていたのだから、完全に芸術家肌である。

武将としてもかなり優秀で、信長とともに美濃侵攻、秀吉の九州征伐、小田原包囲戦、朝鮮侵攻、そして家康に従って関ヶ原の戦いにも最前線で活躍している。

仙石秀久

しかし、関ヶ原後は、豊臣秀頼を擁護したため、大坂の陣では一応、家康側だったにもかかわらず、最後は「豊臣に内通した」として切腹を命じられた。家康の息子・秀忠を茶道の弟子としていたので、豊臣と徳川の橋渡しをしようとしたのではないかとの説もある。

アートな天才の目には、一本調子で徳川の世へ突き進む家康のやり方が面白くなかったのかもしれない。

漫画で有名になったといえば、『センゴク』の主人公・仙石秀久も外せないだろう。

この方、漫画で世に出るまでは、せいぜい「大盗賊の石川五右衛門を捕まえた人」として知られる程度。しかし実際は、まるでドラマのように浮き沈みの激しい人生を過ごした。

若いころは秀吉に仕え、トントン拍子で出世し、30歳ぐらいの若さで城主になり、その5年後には、うどんで有名な讃岐（香川県）一国を支配する大名となった。が、間もなく秀吉の九州征伐で、薩摩軍に大敗したことから所領を没収。しばらく高野山で謹慎生活を送り、小田原包囲網で家康を頼って従軍した後は、信濃（長野県）5万石の城主として復活した。

その後は、秀吉の家臣に戻って一生懸命お仕えし、主に城作りに汗を流す。そのひとつが、京都

古田織部像
（「茶之湯六宗匠伝記」より）

の伏見城建設であり、そこで捕まえたのが天下の大泥棒・石川五右衛門だったと言われている。

もっとも、これはさすがに伝説であろう。本人が捕まえるとか、まずあり得まい。

関ヶ原の合戦では、嫡男が西軍、自分は東軍に属した。ただ、関ヶ原の戦場には到着できず、信濃の真田氏に足止めされた徳川秀忠の殿（しんがり）を務めた。そのため戦後は、関ヶ原に遅参した秀忠を必死に弁明していたという。

仙石秀久は、漫画以上に激動の人生だった。

毛利元就

臨終の枕で横にいたのは1本だけ

毛利元就が遺した「3本の矢」

毛利元就（もうりもとなり）といえば、なんと言っても3本の矢の逸話が有名だろう。

元就が死にそうなとき、3人の息子を枕元に呼んだ。息子のひとりに1本の矢を折らせたら、簡単に折れた。だが、3本まとめて折らせると、折れない。

「1本では弱くても3本集まれば強い。力を合わせて毛利家を守るように」

そう遺言したという感動のお話である。ちなみに、サッカーJリーグのサンフレッチェ広島の名前は、数字の「3」と、イタリア語の「矢＝フレッチェ」を組み合わせたものだ。

3人の息子とは、毛利家を継いだ長男、吉川家の養子になった次男、そして小早川家の養子になった3男のこと。ところが、毛利元就が死んだときに枕元にいたのは、3男の小早川隆景と、孫の毛利輝元(関ヶ原の合戦で西軍の大将)だけだった。長男は父より早く死んで、すでにこの世におらず、次男は戦争中で留守にしていたのである。

そんな状態であるのに、なぜ3本の矢の逸話が残されたのか。

元就が亡くなる14年前のこと、3人の息子たちに対して「兄弟、一致団結して協力するよう誓いなさい」という手紙を出していた。それが、江戸時代の終わりにアレンジされたというのが真相のようだ。

アレンジも何も、すでに長男は亡くなっているのだから、知ってる人からみれば滑稽なこと極まりないのだが、まぁ、ドラマチックな展開だけに、現在でも広く誤解されているのだろう。

ちなみに、毛利家を継ぐ長男は、なぜ早く死んでしまったのか。彼はそもそも戦国時代の大大名の家に生まれてくるべき性格の人間ではなかった。

こんなスーパーネガティブな手紙を残しているのである。

「毛利家は私の代でおしまいです。占いで命が短いと言われたから、たぶんもう先が見えています。

毛利元就

父・元就はすごすぎます。とても追いつけません……」

こんなテンションの息子だったら、たとえ生き残っていても信長や秀吉にさっさと潰されてしまっただろう。3本の矢の真意は、「ダメ兄貴を弟たちが支えてくれ！」という元就の祈りだったのかもしれない。

秀吉は、3本の矢のうち小早川を贔屓して、吉川をないがしろにした。毛利家の弱体を図ったのだ。が、その成功によって、今度は関ヶ原で豊臣方の西軍が負けることになる。うーん、歴史って面白い。

いぶし銀の名脇役
蒲生氏郷と鍋島直茂の名言

戦国時代、天下を統一できるのは1人だけ。地の利、時の利、人の利と、実力だけでなく運も必要となる。

城造りの天才で、実力だけなら天下を狙えたと言われているのが、蒲生氏郷と鍋島直茂だ。

もう少し長く生きていれば、五大老クラスになれたといわれる隠れた名将・蒲生氏郷。新たに蒲生家に仕える武士は、氏郷から必ずこう言われた。

「蒲生家には、銀の兜をかぶったつわものがいる。そやつは、戦となると先駆けをしてよく働くのじゃ。おぬしも彼を見習うように」

「いったい誰だろう」

合戦の日。言われた武士が心待ちにしていると、銀の兜をかぶった兵が危険な先陣を突き進んで行く。それはなんと、氏郷自身であった。

古今を問わず、口だけで自分は安全な場所にいるリーダーが多いだけに、率先して動く氏郷を家臣はみな心から尊敬し、その背中を追い、最強の軍団となっていった。

名将と呼ばれる人はみなこの「率先」「自己責任」こそが勝利の決め手と知っていた。

「将たるもの、味方の首の後ろばかり見ていてはならない」（徳川家康）

「本当に大切なことは人と相談せずに自分１人で覚悟をもって決めること」（伊達政宗）

「俺は他人に勝つ方法を知らない。知っているのは自分に勝つ方法だけだ」（柳生宗矩（やぎゅうむねのり））

蒲生氏郷

部下の掌握術にたけていた蒲生氏郷の言葉をもう2つほど。

「部下には恩賞だけを与えてはいけない。情けもかけるのが大切だ」

これなどは、現代のビジネス界でも通用する。課長クラスに教えたい言葉だ。

辞世の句（死ぬ間際の歌）は、

「限りあれば吹かねど花は散るものを心みじかき春の山風」

早すぎる死への悔しさと駆け抜けた人生への充実感の両方が込められたすばらしい歌だ。

もう1人の名脇役、鍋島直茂は、九州肥前（佐賀）の大名、龍造寺氏の家臣だった。いってみれば、上杉景勝と直江兼続の関係みたいなものだ。

この男、天下をとった豊臣秀吉が、大名よりも優れているとしてあげた3人のうちの1人だ。残る2人は、直江兼続と毛利家の小早川隆景（彼はのちに毛利と並び五大老になった）である。

ほかの2人と比べると、主君の龍造寺自体が相当しょぼい。どんなに才能があっても、活躍する舞台がなければ飼い殺し。結果的に、龍造寺氏の血統が途絶え、佐賀藩の大名となった。

が、主君の家が滅び、自分が殿様になったことにも、小躍りしたりはしなかった。かえって世の無常を痛感し、こんな言葉を残した。

「花が咲いても実らないことも多い」

「時期がくれば、いずれどんな家も滅びる。その時には潔く家を滅ぼす覚悟を持っておくべきだ」

この藩祖の考えが発展して、佐賀藩において「武士道は死ぬことと見つけたり」の『葉隠』が生まれた。

日本史ハゲ界の神様ザビエルは…

バリバリの侵略者だった

ザビエル

小・中学校の歴史の教科書で、一番人気を集める画像は正岡子規だろうか。いや、同じハゲならカッパ型のフランシスコ・ザビエルに軍配が上がるだろう。

この男、キリスト教を布教しにきた、神の使いじゃない。むしろその逆、ヨーロッパのスペイン帝国がアジア諸国を植民地にし、人民を奴隷化する企てのための先兵だった。

タチが悪いのは、本人が、本気で神を信じていたことだろう。「アジアの蛮族たちにキリスト教という素晴らしい宗教を教えてあげれば彼らもハッピー」

そんな誓いのもとにザビエルら7人で結成されたイエズス会は、神に対してはとにかく純粋。他の宗教や宗派を認めず、攻撃的な布教を海外で展開する。帝国にとって、この特攻隊は、植民地の地ならしとして、とても便利なため、積極的に活用されていた。

ザビエルは、まずインドや東南アジアで布教を始めた。が、ここにはすでにイスラム教が入っており、あまり芳しい成果をあげられない。そんなとき、極東の話を聞き、日本には「大学」があることを知った。天台宗の比叡山延暦寺のことだ。

ピュアなザビエルは、「大学があるなら、そこでほかの宗派のやつを論破すればキリスト教もイケるよね！」と、ひとり合点して、来日したのである。

まったく無謀なやつだなぁ、と思いきや、戦国時代の大名たちは、こぞってザビエルを「歓迎」した。もちろんキリスト教なんかに興味はない。目的は鉄砲である。

ザビエルの最初の布教地は、南九州の薩摩だった。島津氏は貿易に期待をかけて布教を許可し、仏教寺院まで貸した。

仏門の僧侶たちも、哲学的な問答をしたり、「国際交流」を楽しんだ。ここでザビエルは、仏教の「大日如来」を唯一神と勘違いして、キリスト教の神様を「大日（だいにち）」と呼ぶことになる。

ザビエルは次第に本性を現し、仏教徒たちを強引に改宗しようとした。

当初は穏やかだった僧侶たちもこれにはキレた。しかも、布教がうまくいきすぎたのに、島津氏にとって重要だった貿易をおろそかにしたため、当時の当主・島津貴久は激怒。キリスト教への改宗を死罪としてしまった。

慌てたザビエルは、次に京都へ向かった。京都ならば、目的地の比叡山まで目と鼻の先。さぞかし意気揚々としていただろうが、残念ながら延暦寺では異教徒の立ち入りを禁止されていた。「論破してやる」と鼻息の荒かったザビエルは、呆気なく門前払いを喰らうのである。

事前に調べておけばいいじゃん。と思うのだが、それがイエズス会なのである。

京都では、天皇や将軍にも、もちろん会えずじまい。手持ち無沙汰になり、次に向かったのは中国地方。当時、毛利家よりも強かった大名・大内義隆に会うためだ。このときは、とにかく必死だったのだろう。天皇に献上予定だった時計などの宝物を大内氏に奉納して、布教を許してもらうのである。

このとき初めて「大日」というのが、大日如来という数ある仏のひとつと気付き、「唯一神なのに、これはやばい」と、神様を「アウス」と呼ぶことにした。ひたむきな信者のくせに、こういうところは意外に脇が甘いんだよなぁ。

来日から2年3か月。改宗に成功したのは1千人ほど。さしたる成果はあがっていない。バックアップしてくれるはずのスペインから、人材や物資が送られてこなければ、当然ながら布教は進まない。おそらくや本国から遠すぎて忘れ去られていたのだろう。

ザビエルも、その頃には、日本に対する見方は、すっかり変わっていたようだ。

当初は、「野蛮人に素晴らしい宗教を教えてやる」という上から目線だったのが、いつしか「文化、礼儀、作法、風俗、習慣はスペイン人に優る」「日本人ほど理性的な人たちは世界中で会ったことがない」と、逆に日本の風土に自分の方が伝道されてしまったのだ。

ザビエルさん、どんだけ純粋なのか…。逆に仏門に改宗したんじゃないか？　とすら思わせる、危うい性格である。

ただ、このすばらしさを認識していたのはザビエルただ1人だったようで、その後、イエズス会は日本人を海外の植民地などに奴隷として売買していたのが発覚。豊臣秀吉がキリスト教（＝バテレン）禁止令を出したのだった。

神社を勝手に移動させた
秋田の新領主、佐竹氏の横暴
佐竹義重

秋田の殿様は、佐竹氏である。この家が水戸から秋田に移転となったとき、美人をすべて連れていったために、水戸を3大ブスの地にしたなんて言われているが、そんなことを本当にしかねない危ない奴だった。

佐竹氏は、もともとは水戸のある茨城県で、最盛期には54万石もの大大名だった。

ところが関ヶ原の合戦で、徳川家康につくか、石田三成につくか、迷っているうちに終戦。家康は味方にならなかった罰として、20万石に減らし、東北地方の秋田へ飛ばしたのだ。

ちょっとは秋田で反省したかと思ったら、なんと佐竹氏は思いっきり逆切れ。とんでもない暴君となる。

佐竹氏の先祖は、平安時代に秋田県で起きた「後三年の役」という合戦で活躍した源義光という人だった。先祖がかつて戦った土地。それが都合よかったのか。その子孫は、家康にやられた鬱憤(うっぷん)を秋田の人たちで晴らそうとした。

一番のとばっちりを受けたのは、住民ではなく、神様だ。源氏系の神様は、八幡さまなのだが、佐竹氏は秋田の神社界を八幡神社で埋めつくそうとして、邪魔になる古い神社を勝手に動かした。

日本では、平安時代から続く由緒正しい神社を「式内社(しきないしゃ)」と言い、その最北端が秋田の山本郡というところにあった副川(そえかわ)神社である。

ところがこの地区は、佐竹家の偉大なご先祖さま、源義光が戦った場所。義重としては、ここにはぜひとも八幡さまの神社を置いてやりたい。で、なにをしたかというと、「山本郡」を関係のない場所に移してしまったのだ。

もちろん土地が動くわけはないから、別の土地の名前を「山本郡」にして、そこに、この神社を無理やり引っ越させたのだ。神をも畏れぬとはよくいったもんだ。

水戸3大ブスの都市伝説は、神様を移すくらいだから、佐竹ならやりそうだと思われて生まれたのだろう。逆に秋田美人という言葉があるぐらいだから、秋田にとって佐竹氏が引っ越してきたのは、良かったのか、悪かったのか……。

戦国時代を締めくくった衝撃の跡取り問題！

豊臣秀頼は秀吉の子ではなかった

大の女好きである秀吉の最大の不幸は、子供に恵まれなかったことだ。片っ端から色んな女に手を付けまくったのに、「秀吉

を父とする子」を産んだのは、晩年に側室になった淀殿ただ1人。

　現代の医療なら、男性側の生殖能力に問題があると判断して、受胎の可能性がない場合、海外では精子をもらって体外受精したりすることがある。専門家が医学的に見れば「秀頼の父親が秀吉である確率は限りなくゼロ」としている。

　かつての日本では、こうしたケースは決して稀ではなく、その際にはイベントで各家の子宝を分けあった。夜祭だ。

「家」の維持が大事だった昔は、祭りなどで体外受精の場を求めた。いってみればダンナ公認の浮気だ。神社や寺のお祭りなので、神様仏様、つまり社会の公認でもあった。

　その際に重要なのは、驚くべきことに乱交することである。父親が特定の誰かと分かってしまうと、後に「××は私の子供だ」、あるいは「○○はアイツの子供だから私に養育義務はない」などと問題になってしまう。

　こうしたイベントにより淀君は、2度、（表向きは）秀吉の子を産んだ。

　1回目は秀吉公認だった。城内のお堂で、たくさんの男たちと淀殿がナゾの祈禱をしており、そこが受胎の場だと考えられている。が、この時、生まれた男の子はすぐに死んでしまった。秀吉は、これでもう実子は諦めて、養子を育てようと決めた。

　ところが、朝鮮出兵のため九州へ行っているうちに、淀殿は勝手に「祈禱」をしてしまい、またもやご懐妊する。これにはさすがの秀吉もキレ、彼女に辛辣な手紙を送りつけた。

「おめでとう（棒読み）。お前の乳で育てなさい」

これのどこがキレているのか？

昔、地位があった女性は、自身の母乳で育てるなんてことは一切せず、他人に任せていた。母乳で育てるというのは、身分の低い人間のすること。実際、彼女が１人目を産んだときは、母乳で育てるどころか、手元から子供を取られて、直接育ててすらいない。

それゆえ、自身の母乳をあげるということは、淀殿にとっては、つらーいお仕置きとなる…はずだった。が、これが思わぬ方向に転がっていく。

彼女は自分の乳をあげて育てているうちに異常な愛情が芽生えてしまい、秀頼を完全なマザコンへと育ててしまったのだ。挙げ句、母子は子離れ、親離れできずについに滅亡してしまう。秀吉の死後、豊臣家の存続のチャンスは何度もあったというのに……。

ちなみに秀頼の実父はどうなったのか。懐妊後、秀吉は淀殿の側近や「乱交」にかかわったとみられる陰陽師らを徹底的に殺りくしている。一晩（あるいは数晩？）の営みのために、この世から消されてしまったのだ。おお、怖っ！

メイクをしたまま死んで何が悪いのかしら

今川義元が合戦でも化粧をしていた理由

今川義元

桶狭間の戦いで、見事、信長にクビを取られた情けない大名・今川義元。何が情けないって、死に際に化粧をしていたことだろう。

もし、あなたが男で、密かな趣味がホテルでこっそり女装。そんなとき、「火事だ～」と聞こえたら、❶逃げる、❷化粧を落とす、どっちを選ぶ?

化粧したまま死にたくはないという人は多いだろう。

では、義元は慌ててしまったのかというと、そんなことは一切ない。当時の大名は、えらくなればなるほど、貴族っぽさにあこがれた。ゆえに、義元は化粧して死んだことへの後悔は皆無のはずだ。

そもそも、義元の場合は、「貴族っぽい」というより、実母が本物の貴族の娘だったこともある。

しかも、馬に乗れないほどのデブで、移動は輿。よほどいい物を食べ続けていたのだろう。運動不足だから、桶狭間の戦いで逃げられなかったんじゃないのか？　という見方も、あるいは間違いではない。

今川家は、貴族の嫁をもらえるぐらいだから、戦国大名のなかでも地位は高かった。幕府から正式に任命されている「守護大名」であり、ランク的には本物の名門だ。たとえば、織田の場合は、守護代（守護の代理）であり、本物の守護は斯波氏という名門武家。ほかには、細川氏なども名門として知られている。

こうした名門武士は、一応、室町幕府の運営もしないといけないので、時々、京都へ行っては将軍と仕事をしていた。これがいわゆる「上洛」だ。

戦国の世にあって、自分の土地を離れて、役にも立たない幕府の仕事をするのは負担ばかり。江戸時代の大名行列みたいなものだ。

が、例えば九州とか遠方の大名は、遠いからわざわざ来なくていいよと、上洛を免除されていた。東日本でその境となったのが、今川の本国、駿河より東だった。

尾張の斯波氏は京へ行ったり来たりしているうちに、配下の織田に所領を乗っ取られてしまうが、今川は地元にじっくりと根を下ろし、東海王を目指すことができた。

その分、「運動不足」になって、野原をかけまわる野生児信長にまさかの一撃をくらってしまったわけだ。適度な運動は本当に大切である。

貴族風にしないだけで「うつけもの」とされた信長。彼は先頭をきって義元軍と戦っていたから、当然化粧などはしていなかっただろう。おしゃれな化粧が死に化粧となった義元のクビをみて、「ほれみたことか」と思ったに違いなない。

細川ガラシャ

石田三成軍に囲まれ自害を遂げた細川ガラシャ

なぜ非自殺説が流れたのか

細川ガラシャとは、大名・細川忠興（ただおき）の妻で、戦国一、波乱の生涯を送った女性として知られている。ガラシャは、キリスト教に入信してからつけたクリスチャンネームだ。本名は玉子（珠子）。彼女は16歳のとき信長の仲介で忠興と結婚し、幸せな日々を送っていたが、4年後の本能寺の変で人生は一変してしまった。

なんせ彼女の父親は、かの有名な反逆者、明智光秀なのである。

本能寺の変の後、明智光秀は細川氏に何度も協力を要請したが、忠興は頑として首をタテには振らなかった。そして、当時、まだ玉子だった彼女は父親との連座という形で幽閉されてしまう。

その後、秀吉によって許された折、「光秀の娘という過去を断ち切る」との思いがあったのかも

しれず、間もなくキリスト教に改宗、ガラシャと名乗るようになった。
38歳となった1600年、夫の忠興は家康に従って、上杉征伐のために出陣していた。妻は大坂城下の屋敷でお留守番。このとき蜂起した石田三成がガラシャを人質にしようと屋敷を包囲した。
彼女は、もはや逃げられないと分かると自殺を決意。キリスト教徒は「自殺禁止」なので、礼拝堂の中で祈りながら、家老に胸を突いて「殺してもらった」というのが、一般的なお話である。

ところが、『信長公記』で知られる太田牛一が記した関ヶ原合戦の記録は違う。

敵が門を叩く音で覚悟を決めたガラシャは座敷に鉄砲の火薬をぶちまけると、侍女たちに「自分が自害したあとには屋敷に火を付けるように」と言い残して見事に自刃していたのだ。

では、これまで「キリスト教徒だから自殺しない」といっていた根拠はなんだったのか。それは細川家に伝わる、ガラシャ最期の様子を記した侍女の手記『霜女覚書』である。これをもとに、格の高いとされる歴史事典でも「非自殺説」を載せてきた。

しかし、最近になって研究者が精査したところ、侍女の覚書原文には、家臣に討たせたという記述はないことが判明した。そこには単に「ガラシャが自殺したので介錯した」と。

では、誰がガラシャの非自殺説を掲げたのかというと、イエズス会である。ガラシャはイエズス会の大スポンサーで、信仰が篤かったため、同会は事実を確かめもせずクリスチャンが自殺するはずないと思い込み、ニセの報告をしたのだ。

「ガラシャはひざまずいて、ゼウス様、マリア様と何度も唱え、みずから首をあらわにして、一刀のもとに首を斬らせた」

いくら改宗していたとはいえ、彼女はもともと戦国バリバリの武将・明智光秀の娘である。最期は「有力武家の娘」らしい行動をとったのだった。

戦国時代にはこんな法律があったんかい

交差点では誘拐に注意。出会い系は禁止

戦国時代は、とにかく強い者が好き勝手なことをできる

北斗の拳的世紀末と考えがちだ。が、実態はちょっと違う。

力で支配する筆頭と思われている大名たちは、庶民たちが安全に暮らせるよう、一生懸命に国の「掟」、つまり今でいう法律を作っていた。

例えば、泥棒をする人がいるから「泥棒を罰する」法律が存在する。逆に言えば、「○○はしてはいけない」という掟があったということは「○○」がけっこう頻繁に起きていたことを意味する。

当時の町などではどんなことが起きていたか。戦国の掟から復元してみよう。

現在の大分県を支配した大名・大友氏（大友宗麟などを輩出した名門）の掟には、『出会い系サイト利用禁止』というのがあった。

もちろんインターネットは存在しなかったのだが、男女が秘めた出会いを求めるのは、今も昔も同じ。そんな需要に応えたのが「中媒（ちゅうばい）」と呼ばれる違法の仲介業者で、男たちにこっそりと人妻や若い娘を紹介していたのだった。

ちなみにこの手の商売は世界でも最古と言われている。古くより脈々と受け継がれていたようで、武士のオリジンである鎌倉幕府の掟には､禁止する法律がなく､「幕府の偉い人が常連だったのかも」なんて話まであるほどだ。

都会というのは、色々な人が集まってくる場所であり、住民同士が無関心になるので、悪い人間もたくさん潜り込んでいた。この時代に社会問題となったのが、交差点で女性を誘拐する連中の存在だった。現代の交差点は人通りが多くて人の目があるのだが、人口の少ない時代の交差点（辻）は、角の壁の裏が悪者の隠れる絶好の場所となっていた。

当然ながら、交差点での女性誘拐も禁止されていたが、その内容が色々な意味でヤバい。

処罰の内容は、誘拐した犯人の「身分」によって異なり、武士は１００日間の出勤停止、庶民は髪の毛を半分だけ剃り上げて見せしめにする。驚きなのは、殿様に仕えるきちんとした武士まで、かなりの人数が交差点で誘拐をしていたことだ。それに対する罰則が3か月の「休暇」と「刈り上げ」では、あまりにも刑が軽くないか。

もちろん、抑止効果はほとんど発揮できず、後には「牢に入れる」という刑罰が加わった。

辻斬りという言葉がある。武士が街中で通行人を斬りつけることだが、そもそも「辻」に注目すると、この漢字は日本で生まれている。土地の広い中国ではなく、日本の狭く、暗く、危ない交差点からイメージされたのだろう。

過酷な時代だからこそ生まれた
戦国大名は弟が早く死ぬ法則

人間には平均寿命があって、兄弟がいれば、普通は兄が弟より早く死ぬ。

だが、戦国大名の場合は、そうではない。兄を守るために、もしくは兄を逆転しようと無理した結果、かなりの数の弟たちが早く死んでいる。これは偶然ではない。

◆**武田信玄＝兄　信繁＝弟**　↓弟が川中島の戦いで兄を守って戦死
◆**織田信長＝兄　信行＝弟**　↓弟が反乱を起こしたため処分
◆**伊達政宗＝兄　小次郎＝弟**　↓弟が反乱を起こしたため処分
◆**豊臣秀吉＝兄　秀長＝弟**　↓唯一の兄弟として兄をサポートしつづけたが、先に病死
◆**真田信之＝兄　幸村＝弟**　↓大名として残った兄に対して、幸村は家康に挑んで壮絶に戦死。名を残したのは弟のほう

もちろん例外もある。石田三成兄弟だ。兄の存在はあまり知られていないが、同じく戦国武将になっていた。

◆**石田正澄＝兄　三成＝弟**　↓西軍の事実上の大将となった三成を、後ろの佐和山城で防備を担当。関ヶ原敗北後に、佐和山城で自刃。ほぼ兄弟同時に死んだ（弟はのちに処刑）が、一瞬でも早く兄が先に逝くのは珍しいケース。

当時は農民のことじゃなかった

ホントは怖〜い、お百姓さん

「お百姓さん」というと、普通は農家のことを想像するだろう。ところが、戦国時代の百姓は、むしろ「農民以外の人たち」という意味の言葉だった。商売人や芸能人、漁師など、決まったところに住まないで、農作物で生活しない人たちを指していたのだ。

こうした「百姓」が好んだ宗教が、念仏を唱えるだけであの世で幸せになれるという浄土真宗（一向宗）だった。

仏教には禁止事項がいくつかある。中には、僧侶の結婚はもちろん、異性とお付き合いしてはいけないというものまである。仏教をマジメにやっている東南アジアのタイでは、お坊さんは女の人と目を合わすのも厳禁だとか。

戦国時代の仏教は、このように決まりが厳格だったのだが、浄土真宗だけは、自由な民に愛されたように、「結婚自由、恋愛自由、髪形自由！」のオールフリーダムであった。ゆえに、人気が爆発。ついには織田信長のライバルになるほど強力なグループとなったのだ。

今でこそ、仏教のお寺を攻撃したなんて聞くと、宗教弾圧！と思ってしまいがちだが、戦国時代はちょっと違う。

一向宗徒の戦闘能力はガチで強かった。いや、強すぎた。そのため越前（福井県）や加賀（石川県）などでは国をまるごと支配され、自治政治が行われていたくらいだ。

織田信長を一番苦しめたのも、武田信玄や上杉謙信ではない。一向宗なのである。信長は、実弟も殺されるなど、多数の被害者を出していた。

一向宗が強すぎたがために、余計な不幸を呼んだこともある。信長は彼らの強さに恐れおののき、投降した信者を皆殺しにしたのだ。完全に恐怖の裏返しであった。

さらには、あの有名な延暦寺焼き討ち事件である。一向宗徒の恐ろしい戦闘能力を見せつけられていたから、信長は比叡山を燃やし尽くしたとされている（最近の発掘調査によって、この時に燃やされたのは、全体ではなく、ごく一部だったことが分かってきている）。

ちなみに、今でも浄土真宗には自由な風習が残っており、お坊さんの髪形も坊主が決まりではない。格好は僧侶なのに長髪だったら、それは「偽物」ではなく、この一派である。とくに京都や金沢では多く見られるはずだ。

農民たちも超必死！

落ち武者狩りの実態とは

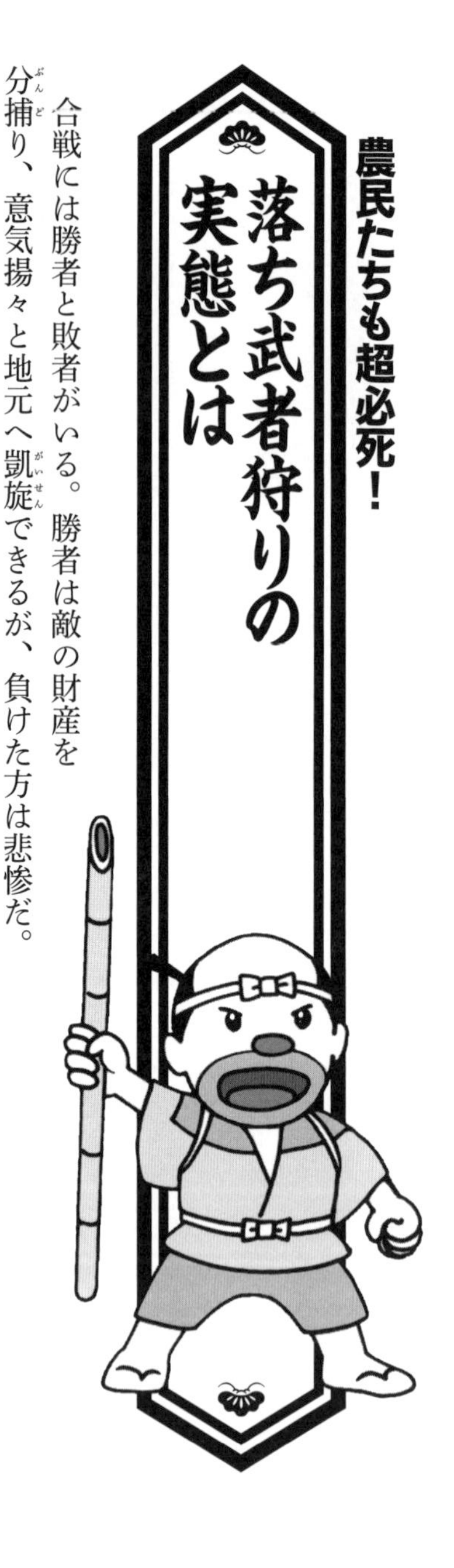

合戦には勝者と敗者がいる。勝者は敵の財産を分捕り、意気揚々と地元へ凱旋できるが、負けた方は悲惨だ。映画やドラマなどでも見たことがあろう。村人たちが敗者に襲いかかり、わずかな甲冑や武器、兵糧も奪ってしまう、いいとこどりのセコイ連中。って、この評価は村人が可哀想だ。敗将の落ち武者を追いかけるのは、彼らにも深い事情がある。なにも戦利品を狙っていただけではない。

というのは、何事もなく落ち武者が村を通過してしまうと、その村は敵に味方したと判断されて、略奪の対象となるという怖い掟があったのだ。

ある落ち武者がA村を通り抜け、隣のB村で捕まったとしよう。落ち武者に「A村は無事に通れました」なんて言われた日には、翌朝には勝者の軍がすぐに襲いかかってくる。だから、周辺で戦争が終わったことを知ると村人たちは検問を敷いて、絶対に不審者を通らせないようにした。

この落ち武者狩りにひっかかったのが明智光秀だ。彼は信長の比叡山焼き打ちのあと、こっそりと山麓の寺や村の再建を支援していた。だからきっと住民も助けてくれる。せめて見逃してはくれるだろう、と思っていたふしがある。

光秀はこんな言葉を残している。

『仏のウソを方便といい、武士のウソは武略という。これに比べれば農民百姓はかわいいもんよ』

甘い、甘いよ、光秀君。庶民の恐ろしさを知らなかったなんて。結局、光秀は山崎の戦いで負けた後、農民たちの竹ヤリに刺された傷が致命傷となり、自害した。

いくさに負けるとはこういうことか!

世界の3分の1を生産していた

日本で銀山が開発されたわけとは？

「あなたが落としたのは金の延べ棒ですか、それとも、この銀の延べ棒ですか」

もし、こんな質問をされたら、現代の日本人なら間違いなく金を選ぶだろう。

が、戦国武将たちは、躊躇なく「銀」を選んだ。というのも、戦国時代は銀のほうが金よりも価値が高かったからだ。

いつの時代も、金、銀、ダイヤモンドと騒がれるのは、こうした鉱石の生産力が需要に追いつかないため。特に欧州の南蛮人は銀が大好きで、わざわざ日本にまで引き取りにきていた。

フランシスコ・ザビエル君が日本でキリスト教を広めようとしたのも、元はといえば銀が欲しかったからにほかならない。彼ら宣教師はピュアな気持ちで動いていたが、宣教師を船で派遣させたスポンサーのスペイン王国の狙いは、各地の植民地化、ならびにそこからあがる銀だった。

では、当時の日本ではどんなお金が使われていたのか？　主に流通していたのは中国から輸入された銅銭（コイン）で、金と銀は貨幣としては使用されていない。

仏像に金箔したり、お経の字を銀色で書いてみたり。漆のような高級塗料に使われた。だから、ヨーロッパ人には喜んで銀を渡し、それと引き換えに、当時の日本で珍しかった中国産の生糸（シルク）を手に入れていたのである。

そうしている間に、日本で採れる銀は、世界中の3分の1にまで成長。生産の中心を担っていた石見銀山などは、大名たちの格好の獲物となり、尼子氏や大内氏、毛利氏などが散々争いを続け、最終的には豊臣秀吉が手中に収めた。

もしそのままいけば戦国時代などは終わり、石油の産油国みたいに働かずとも贅沢できる、緊張感のない国民性になっていたかもしれない。二宮尊徳も生まれなかっただろう。受験戦争だって回避できたはずだ。

ところが、世の中はそう甘くない。スペインが侵攻した南アメリカでも銀がバンバン採れるようになり、価値が落ちてきたのだ。そのうえ一気に銀を採掘しすぎて、江戸時代になるとすっかり枯渇。かくして銀は金にその座を抜かれていく。

ちなみにダイヤモンドなんて単なる炭。野暮だとわかっちゃいるが、声を大にして言いたい。

加地子（かじし）なんて取られてたまるか！

検地に猛反対した農民たち

豊臣秀吉が行った「太閤検地」は皆さんも御存知であろう。検地とは、田畑を測量することである。豊臣秀吉ほどの巨大な権力を持ってして初めて大がかりな検地が行えたが、ヘタをすれば一揆になるほど農民たちは反発していた。

当たり前だ。当時の検地は、イコール年貢が上がることを意味していたのである。

検地の話をご理解していただくためには、「加地子」について触れておかねばならない。全く知名度のない言葉だが、これで戦国時代をすべて説明できてしまう。年貢というのは税金であり、戦国の数百年前、鎌倉時代に設定されたものだった。

「この水田からは何俵の米がとれるね。そのうちこれだけはお上に納めてね」

バカみたいな話だが、その年貢量が一向に変化していなかったのである。

たとえば、明治時代の初任給は約8円。今の2万分の1くらいだろうか。この頃に税金1円というと現在の2万円くらいで、まぁ、妥当な数字だろう。

しかし、明治時代に決めた税額がずーっと変わりませんとなったらどうだろうか。月20万円稼いでも税金1円、月100万円稼いでも月5円。こんなことが起きたのが戦国時代だった。鎌倉時代からの技術革新で、農業生産はざっと10倍になったと言われている。

つまり、年貢額がそのままだと、本来はインフレ化で年貢も比例して徴収されるハズなのに、以前と変わらないので、実入りが9倍に膨れ上がっていたのである。農家としては、嬉しい限りであろう。

しかし、そんなことは戦国大名とて百も承知。この浮いた分＝加地子（加増分）をなんとか税金として徴収しようとしていた。

もちろん農家は猛反発。大名に楯突く者も少なくなく、これを上手に制してのし上がっていったのが、最後まで生き残った戦国大名である。

農民たちにとっては、この加地子がどれだけあるかは超トップシークレット。検地とは、その手の内を明かすことであり、反発するのも当然だった。

海の秩序を守るのが海賊

海上保安官に俺はなる！

海賊は極悪非道な連中の集まりだ。沿岸部の村を襲って金銀財宝を漁り、金が貯まれば酒を飲んで肉を喰らい、そしてまた別の村へ襲撃に出る。

そんなベタなイメージはあるが、果たして戦国時代の海賊はいかなる存在だったのか。

実は、当時、日本の海の平和を保っていたのは、ほかならぬ海賊だった。たとえきれいな御姫さまや大金持ちが船に乗っていようとも、いきなり襲うなんてことは絶対にしない。

「おじょうさん、ここから先は潮目が急だから、おれたち地元の船が先導しないと難破するよ」

笑顔でガイド料を求めるのだ。このお金を渋ると、表情は一転、襲いかかる。やはり悪には違いない。

しかも、このガイド料をめぐる交渉は、なかなか骨が折れ、午後2時から翌朝まで続いて、ようやく成立という瀬戸内海での記録（1551年）が残されている。海賊というのは、さほどに辛抱強く、そして、何よりしつこかった。

イエズス会の宣教師が雇った船が九州から堺（大阪府）まで行くときのことだ。日本人の船頭は「兵庫の津（神戸）で海賊に通航料を払わないとヤバいよ」と宣教師に言ったのだが、彼らは外国人の特権を活かそうとしたのか、「ワタシ、ニホンゴ、ワカリマセン」で押し通し、関所をスルーしようとした。が、相手が誰であろうと、海賊たちは、猛烈な勢いで追いかけてきた。

宣教師の船は堺に到達したものの、海賊たちに取り囲まれて、荷物が下ろせない。結局、その宣教師は、現在価値でおよそ120万円を支払うことになった。もともとの通航料が不明で残念だが、物価から察するに、規定の十倍くらいは取られたであろう。

ただし、一度ガイド料を払えば、海賊は自分たちの勢力範囲内では絶対に安全に船を通してくれる。そのため、普段の彼らの仕事といえば、縄張り内での治安と秩序を徹底的に維持すること。大名同士がドンパチしている地上よりも下手したら安全だったかもしれない。

復元回数ナンバー1

信長の安土城が塗り替えされ続ける理由

城というのは外からの攻撃には強くても、失火などであっけなく灰燼（かいじん）に帰す。

家康の作った江戸城天守閣も秀吉の作った大坂城も、当時の現物は残っていない。ただ、彼らの作品である城は絵図によってかなり正確な姿が分かり、再現も比較的容易だが、信長の城は絵図が残っていないためナゾだらけだ。

とくに事実上、初めての天守閣（当時は天主と言った）があらわれた安土城は、戦国ファンにとって一番再現してほしい城である。

安土城については発掘調査と、太田牛一の『信長公記』（正確にはその初期バージョンである「安土日記」）で細かい記

述がされているので、これまでいくつかの復元案が出されている。

古くは、建築史家による中央吹き抜けの外観5重、内部7階の天主から、吹き抜けのないものまで、有名な案だけで少なくとも4種類はある。だが、いずれも『信長公記』の記述の一部に明白に矛盾してきた。

それは何かというと、記載されている1階部分の床面積が、今も残されている石垣で囲まれた天守台の面積を大きく上回っているのだ。バランスから考えてもありえない。

ただ、これがみな当たり前だと思ってきたので、矛盾があってもそうした復元図が再生産されてきた。

ところが、2013年に衝撃の新説が、城郭考古学者の千田嘉博氏によって出された。なんと安土城は「浮いていた！」というのだ（ほんの少しだが…）。

どういうことかというと、清水寺の舞台が崖からせり出している光景を思い浮かべて欲しい。懸け造りという工法なのだが、日本初の天守閣は1階の一部分が天守台の石垣をこえて浮いていたそうだ。これで矛盾はなくなった。

安土城は人気が高く、これまでもプラモデルやCGなど、多くのレプリカが作られてきた。今回の新説は、こうした過去の復元を根本から覆すことになるので、プラモデラーもプログラマーも大変である。

お城ファン、戦国ファンの皆さん。恨むのは織田信長を殺した明智光秀ではない。山崎の戦いの後、なぜか父の愛した城に火を付けて炎上させた織田信雄である。

戦国時代の情報収集。実は談合していただけで〝忍術〟なんてない？

忍者たちの化けの皮が剥がれるとき

戦国時代の裏方では、忍者たちが暗躍していた。さまざまな超人的な技を駆使して敵の城に忍び込み、重要な情報を入手する。

「絶対に忍者は使わない」と毛嫌いする大名がいたのは、彼らの能力の高さの裏返しといえよう。

戦国時代が終わり、江戸時代になって初めての内乱が九州で発生した。キリシタン一揆「島原の乱」である。城に立て籠もったキリシタンはかなり強い。そこで幕府は忍者を放った。

「兵糧の残りはどれくらい？」

「あわよくば首謀者の天草四郎の首をとってくるんじゃない。だって忍者だもん」

ワクワクテカテカして待っていたところに来た報告は、斜め上を行っていた。

「まったく分かりません」

「えぇえええええー」

期待の忍者、まったく活躍できずに大名たちは、みな唖然！

そこでとある疑念が浮上してきた。

「もしかして戦国時代にヤツらは談合していたのでは？」

忍者は、伊賀と甲賀が主流である。地図を見てみれば一目瞭然のとおり、両者の本拠地は隣接している。彼らが各大名に仕えて情報を集め、データーベース化しておけば、いつでもどこでも引き出せる完璧な情報ソースとなるのだ。これなら、危険な侵入などせずに済む。

そんなこともあったからだろうか。江戸城の警護にあたる忍者は本丸から離れた門番にさせられてしまった。実際のところ、戦国大名たちも情報収集には忍者にばかり頼っていなかった。

戦国時代の村は、今で言うなら「株式会社」に非常に近い。会社に入るときには受付で名前を記入するし、社員名簿もある。いくら忍者が

ご覧のとおり、甲賀と伊賀はお隣同士。

情報交換がなかったと考えるほうが不自然だろう

変装の名人でも、その会社で働いている振りをするなど不可能だ。

戦国時代に隣国の情報を一番知っている人たちは、国境の村の住人だった。現代の県境などと違い、当時はハッキリと線引きできなかったから、戦国武将同士の国境の村は「半手」といって、本来おさめる年貢の半分ずつを両方におさめるのが常識だった。

半手の村は、敵でもあり味方でもある。自然と両方の情報も集まったので、この村を自分たちの味方にするため、接待したり、年貢をまけたり、各大名は色々な手を尽くした。

国境の村は、戦火にまきこまれて悲惨という一面だけではなかったのである。

第三章

知られざる合戦のリアル

戦国時代の戦争の真実とは

川中島で語られる史上最大の合戦ドラマ

信玄に斬りかかったのは謙信ではない

戦国ファンが熱くなる戦いランキングがあれば、常にベスト5に入るのが川中島の戦いだろう。

武田信玄と上杉謙信という戦国の両雄が、ガチで正面衝突した伝説的な合戦である。それゆえ、江戸時代になると歌舞伎だなんだで超盛り上がってしまい、作り話が次々に加えられていった。

馬上の謙信が刀で斬りかかり、それを軍配で受けるという信玄の構図は、創作エピソードの中でも最高峰である。

しかし、残念がることもない。本人たちが斬り合うことに近い事態は起きていて、やはり信玄も謙信もタダものではないということを思い知らされる。

川中島の戦いで、最も激しかったのは第4回目だ。兵力は両軍団合わせて約3万3千。双方の死

傷者数は4千人を超えたという。

一国の運命を左右しかねない合戦。信玄も謙信も悩みに悩んで、戦陣を配置したのだろう、と思われるかもしれないが、その日はあいにく深い霧のため、一寸先は闇状態となり、偶然両軍がぶつかってしまったのが真相だ。

両軍にとって突然の開戦だったが、武田軍の方が被害は多く、上杉軍の1人が信玄に斬りかかった。

武田信玄

この話がのちに尾ひれが付いて、謙信が斬りつけたことになっている。大将同士の一騎討ちなど、名のある武将はまずやらない。やったのは、玉砕覚悟だった真田幸村くらいのものだろう。

この戦で信玄は、弟をはじめ数々の名将たちを失い、事実上の敗戦となった。

しかし、信玄がすごいのは、戦いに負けたのに、勝負には勝ってしまうところだろう。結局、信州(長野県)北部の取り合いで、この地域を手中にしたのは、なぜか信玄であったのだ。

小田原征伐のパフォーマンスに使われただけ

秀吉が落城させる予定だった「のぼうの城」

豊臣秀吉

豊臣秀吉が天下統一の仕上げとして行った小田原の北条攻め。ぶっちゃけ、ド楽勝の合戦だった。なんといっても、当時最強のライバル・徳川家康とタッグを組んだのだから、関東の一部を支配するだけの地方大名では話にならない。

北条側の支城は次々に陥落。唯一善戦したのが、映画や小説で一躍有名になった『のぼうの城』こと忍城（おしじょう）だ。

城を囲む秀吉軍は、石田三成らに率いられた2万。一方、城を守るのは、のぼう（でくの坊）の愛称を持つ成田長親（なりたながちか）で、兵はわずか500。「これは一瞬で落城でしょう」と誰もが思っていたのに、なんとなんと！　という展開が映画や小説の『のぼうの城』である。

では、史実は一体どうだったのか？

忍城が、三成の水攻めを受けながら、小田原が落城した後も最後まで残ったのは紛れもない事実である。この戦いの失敗で、三成は戦下手のレッテルを張られてしまった。

ところが、三成はあえて落とさなかったのだ。秀吉の命令を受けて、単に取り囲んでいたことが判明している。実際、豊臣軍の中に先走ったバカがいて、成田軍の首を多数あげた。そして意気揚々と秀吉に「僕、やりました。がんばりました」と報告したところ、「てめえ！ 攻め落とすなといっただろ！」と叱責されている文書も残っているのだ。

では、こんな面倒なことまでして、秀吉は忍城で何をしようとしたのか。

最初に書いたように、秀吉にとっての小田原征討は、家康が屈服したことで決定した「天下統一」のためのパフォーマンスに過ぎなかった。

忍城で、三成がわざわざ手間のかかる水攻めをしたのは、秀吉が名将として名を上げた、伝説の戦い・高松城水攻めを再現しようとしたからだった。

どうやら、秀吉は最後に主だった武将たちを忍城に集めて、土手の上から「わはは、ワシの力を思い知ったか」と、なんとも嫌らしいことをやろうとしたのだ。

が、やはり城主が「のぼう」だったので、秀吉が来る前に開城しちゃったのだ。チャンチャン。

鉄砲よりも大事なのは竹槍(たけやり)です

戦国時代のリアル合戦チュートリアル

戦国時代の戦いが、実際どのように展開したのか。これが意外に難しく、真相は不明だ。かつては、鉄砲伝来によってがらりと戦闘方法が変わったといわれてきたが、当時の火縄銃は弓などよりも射程が短く、歴史を大きく変えるほどではなかったと考えられている。

戦場での戦い方は3つに分かれ、それぞれ武器は異なる。

❶白兵戦(はくへいせん)＝刀
❷中距離戦＝槍
❸遠距離戦＝投石、弓矢、鉄砲

現在、白兵戦が主流だったと考える研究者はほとんどいない。長い槍を持つ密集隊形による中距離戦か、あるいは鉄砲などの遠距離戦で意見は分かれており、負傷した原因を文献から統計してみたところ、70％が飛び道具によるものとの研究もある。

だからといって遠距離戦が主流とも言い難い。とある大名の部隊１５６０人を調べたところ、弓と鉄砲の飛び道具はわずか６％。それに対して歩兵の槍は38％と最も多く、続いて騎兵（これも武器はほとんど槍）が32％を占めた。

つまり、飛び道具は軽いものも含めて多少の「けが」を負わせることはできても、相手を殺害したり戦闘不能にするほどのパワーはなかったことを意味する。

それを踏まえて、戦闘の手順を考察してみよう。

まずは、遠い位置から飛び道具で牽制して、多少の兵力を削り、その間に一気に距離をつめて、槍（おそらく竹槍）を持った歩兵集団が穂先を並べながら突入。馬から降りた武将たちが、鉄製の穂先の長い槍でザクザクと相手を斬り倒していくというのが、一般的な戦いのやり方だった。

また、戦場に連れて行くのを絶対に忘れてはならない「戦力」が工兵である。

工兵といっても、大半は農民たちだ。戦国時代の戦いは、国境線の小競り合いが多いので、敵の城を囲むために、小規模な拠点「陣城」や「付け城」を急いで造らなければならない。そのため農民たちを動員するときは、つるはし、鋤、土を運ぶもっこ、土塁を固める金棒を持ってくるように命じていた。

合言葉は？　知らん！　グサッ！　ぎゃー！！

日常茶飯事だった戦場での同士討ち

どんなに強い武者であっても、後ろや横から攻撃されたらひとたまりもない。そんなことが頻発したのが戦国時代である。一番の難敵は、間違って攻撃してくる味方だったのだ。

大河ドラマの主役にもなった武田信玄の軍師・山本勘助は、武田軍が取った首の中に、味方の武将がまじっていないのをみて「こんなことありえん。すばらしい」と絶賛した。同士討ちはそれくらい当たり前のことだった。

そこで戦国武将たちは、様々な工夫をこらした。最も有名なのが、武田の山県昌景が率いた真っ赤な甲冑であろう。赤備えと呼ばれ、同士討ちを避けられたのと同時に、敵方には恐れられ、合戦を有利に運ぶのに役立った。

他の目印として挙げられるのは、ド派手な旗や合言葉などがある。色が揃った甲冑などを準備できない足軽たちは、色をつけた布きれをひとつ付け、同時に合言葉を用意していた。が、戦闘でもみ合ううちに布がちぎれ、敵味方入り交じる展開に興奮して合言葉を忘れ、味方に首を斬られてしまったという逸話も残っている。

そこで、少なくとも味方同士は殺し合わないよう、軍のルールは厳しく決められていた。たとえば、合戦中、大将以外は高い声を出すことや雑談を禁止されていた。指令が届かなくなるから当然といえるが、面白いのが「高い声」であろう。

おそらくこれは、軍団中に指示を広げるため、特殊な高い声で伝令を行っていたためと考えられる。スポーツでも、頭に血が上ると普通は低い声を出す。そんな中で不自然な高い声は、遠くまで情報を伝える技術だったのだ。

蛇足だが、目印の約束事の他に、もっとも厳しく決められていたのが、トイレ問題である。籠城や長期戦で、糞尿を適当に放置しておけば疫病の蔓延につながる。そのため「城外の離れた場所に捨ててくる」、もしくは「敵の矢が届かない場所に置く」などのルールが厳しく決められていた。

肥だめにしておいた樽が、万が一、敵の弓矢で破裂すれば、籠城する気なんて一気に失せてしまうから。

戦地に赴く途中でホテルに滞在

しかも価格は共通です

隣国や京都へ遠征するとき、戦国武将が率いる何千、何万という軍団はどこに泊まるのか。

「戦争なんだから、そりゃあ外でキャンプでしょ?」と思いがちだが、戦国時代は交通網（街道）が意外に発展しており、きちんと民間の宿（ホテル）が用意されていた。

下っ端兵士たちは野宿したり、寺や民家に押しかけて一夜の宿とした。一方で、偉い人たちはお金を払い、ホテルに泊まっていたのである。

戦乱の世だから、すべてが無秩序と思ったら大間違い。こんな時代にも民間は全国のネットワークを張り巡らせて、共通のホテル料金なんてのもあったくらいだ。武士たち支配者階級が「天下統一!」と騒いでいる最中、民間の市場経済は、とっくに日本統一されていたとも言える。東海道や中山道など、江戸時代の五街道も、みんなその基盤にのっかっていた。

迷惑なのは、下っ端兵士たちの「陣取り」だ。一部の大名で「給食」（配給）が実施されてはいたが、調理済みの食事が配膳されるわけじゃない。そこで下級兵たちは、自分たちで調理する薪を集めるため、境内にたくさん木がある神社やお寺に陣を張った。

なかでも一番人気の五つ星クラスは、京都の清水寺である。敷地が広く、たくさんの兵士を収容でき、標高も高いため、京都の町を見下ろすことができる。いや、美しい風景を求めていたわけじゃない。下から攻めてくる敵をいち早く把握するためだ。

陣取りの人気スポットになった寺社にとっては迷惑の極地だったであろう。

そこで寺社によっては「陣取り禁止スポット」に指定してもらうため、大名に手数料を払うことも頻繁にあった。

奈良の薬師寺が信長に陣取り禁止などの「指定」をもらうために支払った額は、金10両と甲冑2領、仲介してくれた武士に金5両、さらに事務手数料として銀1両。かなりの大金である。

武士たちって、どんだけ迷惑だったのよ。

戦国時代100の大ウソ
実は正面から迎え撃っていた!?
織田信長
『桶狭間の戦い』の真実

一五六〇年——
天下取りを目指す大名
今川義元は総勢力で
上洛を開始
その途上、
尾張を拠点とする信長は
最大のピンチを迎える
織田信長
清須（清洲）
尾張
桶狭間
今川義元
駿河
京
織田領
今川領

今川軍
二万五千に対し
織田軍精鋭は
わずか二千

少数で大軍を撃ち破るには奇襲しかないと
考えた信長は
戦場を迂回して一気に今川本陣を目指した
天白川
善照寺砦
扇川
中嶋砦
信長本隊
手越川
今川軍
前衛部隊
桶狭間
今川義元本隊
今川義元本陣
そうして
桶狭間山間の
低地に休養する
今川本陣を発見する

まさか敵も
こんな所から
来ようとは夢にも
思いますまい
よし！
ここで決着を
つけるぞ

ガガガガガ
狙うは義元の
首だっ!!

何事ぞ？
ドドドドドドドドドドドドドド

織田の奇襲だーーっ!!
バッカーン
……信長!?

その首貰い受ける！
戦国一の〝大番狂わせ〟と言われる伝説の一戦『桶狭間の戦い』しかしこの戦い、実は奇襲ではなかった……

まず信長を語る上での
第一級史料とされる
のは『信長公記』。
信長の側近、太田牛一に
よって詳細に書かれた
公式伝記である

ここに桶狭間の戦いに
おける迂回奇襲の
記述は一切ない

では、迂回奇襲説は
どこから生まれたのか？

江戸時代初期の儒学者
小瀬甫庵の『信長記』に
初めて登場する。
以降それが
定着したのが真相だ

清州城
中嶋砦が落ちた！
織田秀敏様討死！
何!?
敵はもう我らの喉元まで迫って来ておるぞ
こうなったらもはや籠城しかあるまい……

信長は生涯で籠城や奇襲を行ったか？

答えはゼロ。『信長公記』に信長が籠城や奇襲を行った記述はひとつもない。基本的戦術は敵を上回る兵力をもって野戦に持ち込むのである

たわけが！ 支援部隊があっての籠城ぞ！ 後詰めもない籠城など何の意味がある!?
打って出る以外道はござらん！

しかし殿は一体何をしておるのじゃ
ここまで迫っておるのになぜ評定も開こうとせぬのだ

前衛隊が本隊か？
後詰めが応援か？

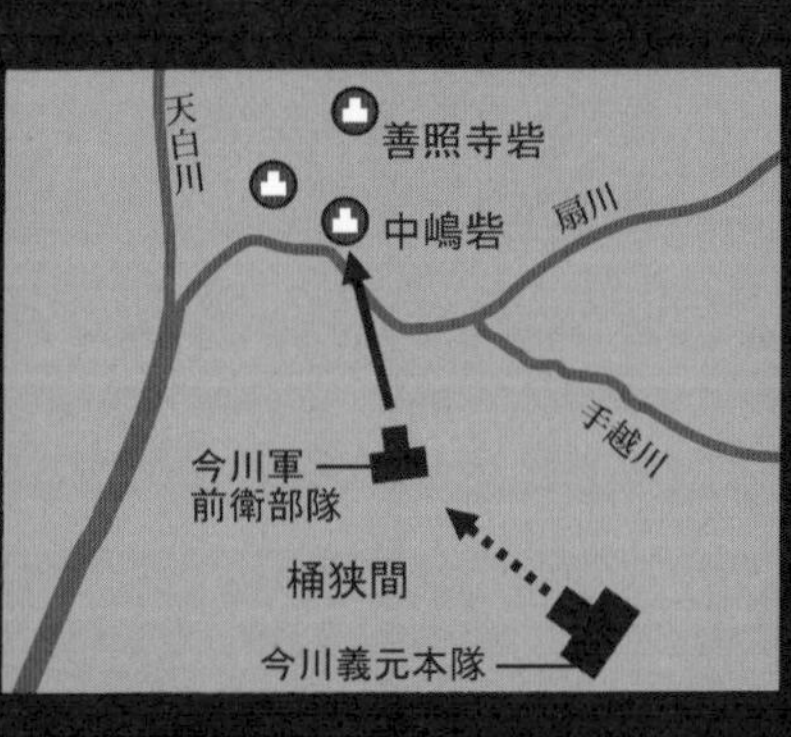

今川軍は、後詰が本隊で
先行する前衛部隊に
本隊である後詰めが
追いつく形だった

そこに
今川軍本隊が
到着

前衛部隊と
織田軍の戦いを
静観できる位置に
布陣した

ワァ ワァ ワァ ワァ ワァ ワァ ワァ ワァ ワァ

桶狭間とは谷間を意味する？

今川軍が布陣した地は『信長公記』には〝おけはざま山〟とある。無名な山で正確な場所はわかってないが谷間に布陣しなかったのは確かである

見よ！あのままでは前衛がもたぬ！
今すぐ支援にまわるぞ！
こ、ここを降りると申されますか!?

ここで行かねば何のための後詰めぞ！
これが義元の運命を大きく分ける事となる

そこに、急変した天候が
大粒の雨を降りつけた

『にわかに急雨（むらさめ）石水を
投げ打つように敵の
輔（つら）に打ちつくる。』

信長公記

楠の巨木が倒れるほどの
暴風雨に

敵味方もわからぬ
白兵戦となった

今川本隊が合流するも
前衛部隊は崩され
織田軍は本陣へなだれ込んだ

天が我に味方したか!
今川本隊もついには三百まで兵を減らす
大軍で来たにもかかわらず兵を分散させたことも義元にとっては致命的となっていた
ワー ワ ワ ワ ワ
殿! 敵の旗本が見えて参りましたぞ!
一気に押せえーっ!!
あれを見ろ!
御意にっ!!

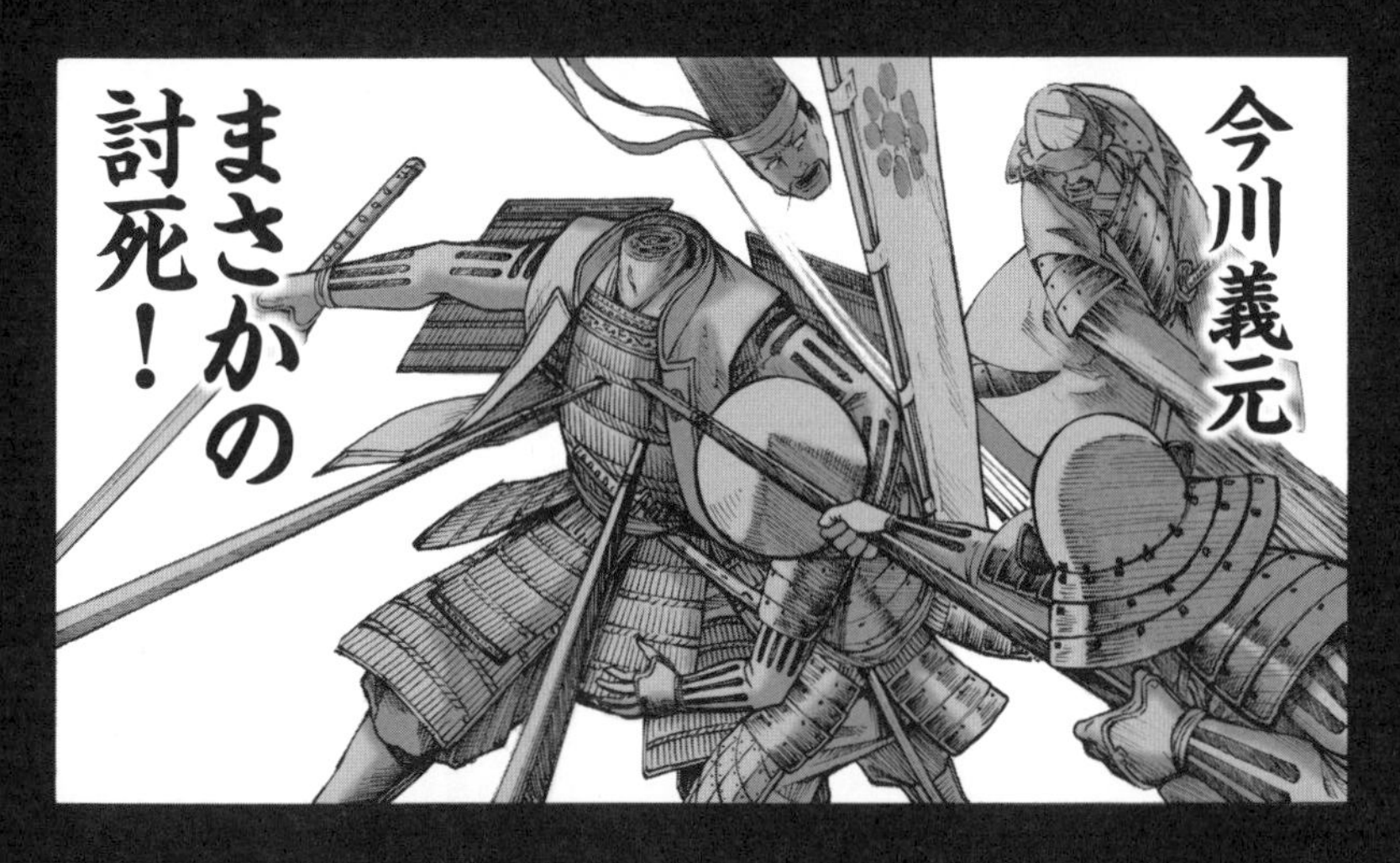

そもそも義元は京への上洛を目的として侵攻していたのか？

答えは否。義元の狙いは国境線上で城攻めしていた味方の支援、つまり後詰めだったのだ

桶狭間の戦いは奇襲なんかじゃない
〝豪雨〟という奇跡が信長に与えた勝利であった

鉄砲は全部で1千挺（ちょう）。3段撃ちは物理的に不可能

圧倒的な力を誇る武田騎馬軍が、織田・徳川連合軍の3段撃ちで壊滅させられたという「長篠の戦い」。

騎馬武者なんて時代遅れ。これからは身分が低くても鉄砲を持てれば最強！　とばかりに、武器革命が起きたとされている。

しかし、この長篠の戦いはウソにまみれた伝説ばかりが残されている。

そもそも「長篠の戦い」ということ自体がナンセンスである。地図を見れば一目瞭然で、長篠城は、武田と織田・徳川がぶつかった設楽原（したらがはら）とは遠く離れた場所にあるのだ。

確かに当初は武田軍が長篠城を取り囲んではいた。が、西から織田連合軍がやってきたため城から離れ、決戦の場へと出向いている。それでも長篠の戦いと呼ぶならば、大垣城が前哨戦だった関ヶ原の合戦も、「大垣の戦い」と言えちゃうけど、それでいいの？

こうなると、この合戦最大の特徴である、織田信長の「3段撃ち」も怪しい。いや、キッパリ言

ってしまおう。3段撃ちなんて、完全なデタラメである。

火縄銃は一度撃つと、弾をこめるのに時間がかかる。だからあらかじめ3列に並んでおき、1列目が発射したら2列目が前列に出て発射！　次は3列目が前に出て、今度はまた最初に戻って1列目——。

理屈だけ聞いていれば、確かにウマくいきそうだ。しかし、それは当時の鉄砲を全く知らない人の妄想である。この頃の火縄銃に使われていたのは、黒色火薬といって、名前のとおり凄まじい煙が出るのだ。発射音もハンパじゃなく、隊長の「撃て！」なんて号令は一切聞こえなくなってしまう。そんな状態で、1列目、2列目、3列目と整然と攻撃するなど神の所業。しかも、である。そもそも鉄砲の数が足りないのだ。

信長が長篠の戦いで使用したとされる鉄砲の数、実に3千挺。学校教育でこの数値を教えられるため、誰もが疑いもしなかったであろう。

しかし、信長たちが集めた鉄砲は全部で1千挺だったとの説もある。これを3で割ると、1メートル毎に鉄砲兵を配置しても300メートルしか守れない。

合戦のあった前線は全部で1キロ以上にわたっている。どうやって3段撃ちをやるというのだろうか。少し考えればわかる話であろう。

もちろん、火縄銃が強力なのは間違いない。が、織田・徳川連合軍が武田軍に勝利したのは、もっと単純な理由があったからだ（次項へ続く）。

武田軍の敗因は自殺願望満タンの歴戦武将

長篠の戦い　其の弐

長篠の戦いのイメージは、木の柵をずらっと並べ、突撃してくる無数の騎馬武者たちに向かって、弱々しい足軽たちが鉄砲をひたすら撃ちまくる、って感じだろう。

が、前頁でも触れたように、それはウソ。物理的に無理がある。武田軍が負けたのは、極めて単純明快。人数が圧倒的に少なかったからだ。

織田・徳川軍は推定3万人。対する武田軍は1万5千人。しかも、信長たちは単に柵を立てただけでなく、丘の裏側に予備兵を隠して、少ない軍勢にみせていた。

かつて信玄と家康がぶつかった三方ヶ原の戦いのような、平野での遭遇戦ではなく、武田軍にとっては事実上の城攻めだったのだ。

通常、城攻めには守備側の3倍の兵が必要といわれている。しかし、武田軍は3倍どころか織田・徳川連合軍より少ない有様である。これでは勝てるわけがない。

では、なぜ、こんな無謀とも言える戦いに武田軍は突き進んでいったのか。信玄が死んだとはいえ、当時の配下にいたツワモノ、山県昌景や馬場信春、高坂弾正など、いわゆる武田四天王も残っていたはず……。

実は、他ならぬ古参の勇将たちが、敗因とも言えるのだ。

武田信玄が死んだのは、長篠の戦いの2年前。信玄と部下たちには、男と男の熱くて深イイ関係があった。精神的だけじゃなく、肉体的にも捧げる関係である。

ところが信玄は死ぬときに、「絶対に俺のあとを追うな」ときつく命令した。昔は「殉死（じゅんし）」といって、尊敬する主人が死ぬと、部下が自殺する風習があったのだ。

愛する信玄の遺言だから部下たちはぐっと我慢した。しかし、本心ではずっと死に場所を探していた。信玄にとって、信長と家康は最も憎き相手。三方ヶ原で徳川軍を叩き潰し、織田軍を攻めようとしたところで病を悪化させたのだから、間接的な死因はこの2人だとも言える。

そこで古参の部下たちは、目の前に信長と家康がいるとわかるや、

「やつらの首をとって、俺も死に、天国のおやかたさまの土産にしてやる！」

と、メチャクチャに熱くなって、暴走したというのが真相らしい。

跡を継いだ武田勝頼は、さぞかし唖然としただろう。次々に、おやじの部下たちが突撃して、死んでいくのだから。

この戦いで武田軍・歴戦の勇士たちは大量に戦死した。その大半は、元々が信玄の部下だった者たち。勝頼の配下で戦死したのは、長篠城を攻めていた、わずか1人だった。

爺さんたちの身体を張った勝頼イジメとしか思えないのは、私だけじゃないだろう。

信長が発明した本当に画期的な戦術

桶狭間の戦いに勝利した信長は、その後、一気に勢力を伸ばし、有力大名に躍りでた。信越で対峙していた上杉謙信と武田信玄、本州最西端の毛利元就などと比べ、ただでさえ名古屋という立地条件は恵まれている。近畿平定までの道のりは圧倒的に近く、道中に強烈なライバルはいない。都や港への進軍に付随して得られる、鉄砲などの最新武器は、他の地域とは一線を画する。

ゆえに現代に生きる我々は、こんな勘違いを抱きやすい。

信長の軍団は、合戦に大量の鉄砲やその他最新武器を導入できたからこそ、圧倒的に強くなっていった、と。

そもそも、この思い違いは長篠の戦いに端を発するが、信長軍団が他の大名と比べて大幅に強化されていたのは鉄砲ではない。

給食制度だ。給食と言うと、クビを傾げる方がおられるだろう。むろん、他国よりオカズが一品多いとか、そういう類の話ではない。実は給食制度そのものが画期的なのである。

いくさの食事は基本持参だ！
陣笠は防具だけじゃない！食事のときはナベにもなる
ジャムおじさんもジャムを持参
兵糧
水筒

補給線で戦略範囲を拡大！
むぅーーっ
これが我が軍と武田軍との差だ！
カッカッカッカッ

当時、戦に狩り出される下級兵士たちは、食料を自前で用意せねばならなかった。だから、戦が始まると周囲の農村は略奪されて荒れ放題。こんな調子では、大量の兵士を長期間養うのは、端から無理がある。

そこで信長は、メシを配給制にすることにより、多くの兵士を長期間確保することに成功した。合戦においてこれがどれだけ有効な戦術か。すぐにご理解いただけよう。

戦国は、天候が悪く飢餓の時代だった。というより、食料難だったからこそ戦国の世になったとも言えよう。

そんな苦境であるから、必然的に信長の軍団には食料目的で兵が多く集まってくる。鉄砲の3段撃ちなんか目じゃないほど頭のいい作戦である。

戦国末になって、北条氏などほかの大名たちも「給食」をやろうとした。ところが……。

「うちの殿様、メシをくれるって本当か？　手ぶらでいって餓死だけはカンベンだよ」

周囲の村人たちになかなか信用されず、うまく広がらなかったのだ。もし織田信長が悪魔と恐れられるワンマン武将だったら、こんな制度は成立しなかったであろう。

伊達政宗

筆マメ＝合戦上手

自筆の手紙で地位を築いた伊達政宗

戦国武将にとって一番必要な才能は何か。

秀吉は天下人になるには、「勇気と知恵と大気（楽天的な前向きさ）が必要だ」と説いた。が、現実的に、日常で行われていた戦いとは外交戦である。いかにして戦わずに勝つか。それが大事だ。

そして外交戦の主な武器は手紙である。つまり、筆マメであるだけで、戦国武将としての「戦闘能力」は何倍も増す。これを最も利用したのは、意外かもしれないが、あの伊達政宗だ。

現存する自筆の書状は1千通。太平洋戦争で仙台市街が全焼しているにもかかわらず、この量が残っているのだから、生前はいったい何千通の書状を記したのか。

他の武将はというと、秀吉が約80通で家康は25通ほど。彼らの手紙は、大半が代筆であった（右筆という書記官が代筆し、本人は花押や印を押すだけ）。当然ながら自筆の方が、相手の心に届くであろう。

政宗が数々の戦いにおいて、大勝利をあげられたのは、手紙を送ることで敵方の一部を寝返らせたり、中立にさせたり、事前の外交が功を奏した場合が多い。

蘆名氏を滅ぼした摺上原の戦いもそうだ。このときは会津の入り口という重要拠点の重臣を寝返らせた。合戦前の時点で、蘆名は北関東の佐竹と連合を組んでおり、政宗の方が劣勢。にもかかわらず調略に成功したのは、熱のこもった自筆の手紙を送ったからであろう。

少し精神論になるが、政宗は、秀吉との対面や柳生とのやりとりなど、本音をさらすことで危機を乗り越えてきた。自筆の手紙には本音をこめやすいと考えたに違いない。

関ヶ原の合戦前。家康は政宗に対して「百万石をやる」との手紙を送り、支援を求めた。政宗はこれを受けて西軍の上杉と戦闘。しかし、この約束は合戦後に反故にされた。

そこで政宗は家康に対し、嫌味たっぷりの直筆の手紙を送っている。

「そうですか、そうですか。今、加増をうけても、それほど俺を警戒されるなら、もらわなくてもいいですよ。いずれ京都付近で別のいい場所をもらえるんですよね。そのほうが上京に都合がいいので、よろしく」

普段、右筆を使っている人がこんな手紙を目上の人間に出したら、不快に思われるが、政宗の場合は常にぶっちゃけていたので、受け取った家康も「しょうがないな」と唸ったに違いない。百万石の約束を反故にしたのは、徳川政権が戦略として決めたことだった。

その罪滅ぼしなのだろう。後に家康は、政宗の息子に15万石の領土を与えている。場所は四国で宇和島藩。この頃は外様大名が次々に潰され、譜代大名や徳川一族への加増が当たり前だったときで、異例中の異例である。

か弱いどころか乱暴兵士は返り討ち
したたかな戦国時代の庶民たち

戦国武将の争いにただただ翻弄されて、逃げまどう庶民たち。彼らはなすすべもなく、ひたすら逃げ、やがて合戦で負けた側を落ち武者狩りとして復讐する。

なんて単純で、そしてなんて嫌なやつら。我らの先祖ってこんなんかよ？ と庶民のみなさんは悲しくなるだろう。

しかし、安心してほしい。これは第二次世界大戦後のマルクス主義という古い思想がもとになっているマチガイ。庶民＝かわいそうな人たち、大名＝悪の権化とみなし、「庶民よ、立ち上がって革命を起こそう」とアピールするものだった。

実際は、戦国時代の庶民たちはもっとしたたかだった。

前に触れたホテルの宿泊代金が全国一律だったということは、経営者たちが全国レベルで横のつながりを持ち、情報を共有していたことを意味する。

大名が「おい、宿代まけろ」と言っても、「それはムリですな。気にいらなければ隣へどうぞ。値段は一緒ですけど」となったに違いない。でなければ値段を統一する意味がない。

村人たちも同じように、ただ逃げまどうなんてことはしなかった。基本的に彼らも武士と同じく剣、槍、鉄砲などで武装。村から出るときは、男たちが腰に刀を差すのは普通のこと。中途半端な軍が攻めてきたら、近隣の村と一緒に、返り討ちにするなんてこともザラである。

が、ひとたび信長や秀吉など超ビッグが来たときは、買収に走った。お金を払って、『乱暴、放火、徴兵をしない』という禁制（免罪符）を購入するのだ。

この安全はいくらで買えたのか。和泉国（大阪府）のある村では、紀州から攻めてきた寺院勢力に対して約200万円を支払い、禁制をゲットしている。

兵士の中にはそれでも乱暴者がいて、たとえ禁制を見せても、狼藉を働こうとする。そんなときは村人たちも本性をあらわし、寄ってたかって兵士をボコボコにした。

バックにいる大名や有力寺院などが怖いのであって、個々の武士など、庶民の数のパワーにかかれば、たいしたことなどない。

この庶民の力の強さも弱さも知り尽くし、村々を味方にすることでのし上がったのが毛利元就である。敵対勢力の村々を味方に引き入れる作戦は恐ろしいほどに冷静だ。

「まずは下っ端の足軽を村に入れて、第1村人、第2村人を見つけたら殺させろ。さらに家4、5軒を問答無用で燃やせ。その段階で、うってかわって、優しい表情で『味方にならないか』と村長に誘いをかけろ」

こうやって狂人の顔と徳のある君主の顔を使い分け、ひとつひとつ村を懐柔(かいじゅう)していった。庶民の上をいくのは、やはり選りすぐりの戦国武将であった。

徳川家康

物語には欠かせない家康と三成の名場面
七将襲撃事件

関ヶ原の戦いの前年（1599年）、亡き太閤殿下の威光をかさに暴走する石田三成に、有力武将7人がキレた。俗に言う七将襲撃事件である。

7人とは、豊臣方の有力武将であった、細川忠興、福島正則、藤堂高虎、黒田長政、加藤清正、浅野幸長、蜂須賀家政だ。

彼らが三成を襲撃した話は事実。しかし、この極めて漫画的な展開がグッと来るのだろう。後に、江戸時代の軍記物作家たちが、こんな風に妄想を創りあげてしまった。

7人に襲撃された三成は、陰で七将たちを操っていた徳川家康の邸宅に逃げ込んだ。そこで家康はいったん三成を助けて解放した後、次のように本音を漏らす。
「三成ひとり殺しても仕方がない。もっと隠れた反徳川の武将たちをあぶり出さなくては」
こうして三成を泳がせたことにより、関ヶ原の合戦で多数の反徳川勢力を一網打尽。
さすがなり、家康！

ところが現実の三成は、伏見城にある自分の邸宅「治部少丸（じぶしょうまる）」に逃げ込んでいた。この時点で家康の最大の脅威は前田利家（この直後に死亡）であり、三成は確かに「泳がせておいてもいい」存在であった。

そういう緊迫した背景を熟知した作家が作ったものなので、江戸時代以来、ずっと信じられてきてしまったようだ。

それに、なんといっても、2人の緊迫した神経戦がいかにもドラマチックで絵になるじゃないですか。

歴史研究者が何度も「これはウソです」と言っても、テレビドラマでは必ず再現しないと視聴率がとれない。水戸黄門の印籠のような扱いなので、いっこうに通説の座を降りる様子はない。

もはや、テレビでこの場面が出たら「この中二病め！」と1人つぶやくのが、歴史マニアの楽しみである。

が、複数で見ているときは、ほかの人の感動を奪うことになるばかりか、「おまえが中二病だろ」と返されるので、黙っておくのが、人の世を渡る方策でもある。

直江兼続

私は一言も書いた覚えがありません
家康に宣戦布告した『直江状』

『直江状』というのは、上杉家の重臣、「愛」で有名な直江兼続が、徳川家康の嫌がらせにキレて、宣戦布告した手紙といわれているものだ。

内容は、次のようなもの。


上方（京都や大阪）で、上杉家のことで色々うわさがあるがまったく気にしていない。

主君の上杉景勝が上洛（都へのぼる）の要請を無視しているというのは、越後から会津へ国替えしたばかりで忙しいからで、反逆などではない。

神様・仏様の前で誓う起請文を出せというが、いままで散々、反逆してきたのだから、いまさら出しても無意味だ。

家康が中傷を本当のことと誤解して謀反だというなら仕方がない。どうぞ滅ぼしてください。

武具を集めていると批判するが、これは私たちのような「田舎武士」にとっては当然のことなので気にしないでくれ。

交通網を整備したことをとがめられたが、大名なら当たり前。

家康は「ウソはつかない」とか、「朝鮮出兵する」とか言ってたけど、あれはウソだったよね。

家康への嫌味をたっぷり盛り込んだ挑戦的な手紙である。
これのどこが不審なのか。原本が残っていないことのほかに、大きく2点ある。

❶兼続よりも目上の人（こういう書状は家康に直接送るのではなく、偉いお坊さんに送る）に宛てているのに、書き方が対等である。

❷大谷吉継が西軍にいるように書かれているが、この時点ではまだ西軍ではなく、むしろ家康に味方すると思われていた。

❶を重視すれば、家康が過激な手紙に書き換えて、開戦の大義名分にした可能性がある。❷を重視すれば、未来を知らないと書けない内容なので、後の時代になって作られた可能性が高まる。❶だとしたら、かなり胸アツであり、実際、戦国漫画の『へうげもの』ではこの説をとって、舞台を盛り上げている。

ちなみに、直江兼続が書いた『直江状』は、非常に数多く残されている。というのも、兼続は上杉家の外務大臣であったので、各地の大名に数々送っているからだ。

が、普通、『直江状』というと、関ヶ原合戦の導火線に火を付けた家康への書状を意味する。いつの世も、情報は操作され、面白い方向へ流れていくものなんだろう。

江戸城に引き籠もってガクブルの家康

関ヶ原の合戦では皆さん、私に一票を！

徳川家康

関ヶ原の合戦前、上杉征伐に出向いた家康は自信満々だった。なぜなら、ほとんどの大名が上杉の敵だったからだ。

った。

そんな中、失脚して隠居中の石田三成が挙兵するかもしれないことも、家康にとっては想定内だった。

実際、三成挙兵の連絡がくると、悠々と兵を戻す。家康は豊臣政権公認の戦争であり、三成は違法行為である。合戦には大義名分が大事であり、堂々と叩き潰すことができた。

しかし、そこで思わぬことが起きる。秀吉の「遺命代行者」である京都の奉行が、当初は「家康さん、三成を倒してください」と言っていたのに、突然、全国の大名に「家康は悪いやつですぜ」と手紙を出していたことが判明したのだ。びびった家康は、江戸城に引きこもり、ガクブルの日々を過ごした。

家康はこの間、とにかく手紙を書きまくった。先に述べたように有力大名のひとり伊達政宗には「百万石やるから味方して」と空証文をきったり、全国の武将たちにも心地よい響きのマニフェストを配りまくったのだ。その数、1カ月弱で約160通。実に家康が1年間で書く手紙の4倍もの量である。

当時の大名たちは、基本的に故・秀吉の部下であって、家康とは単なる「トモダチ」や「先輩後輩」関係にすぎなかった。豊臣政権が「反家康」を掲げた以上、五大老のうち、毛利、上杉、宇喜多の大勢力が敵になったのだ。普通なら絶望的な立場である。

しかし、この圧倒的不利な状況を覆したのは、「ツンデレ」三成の人徳のなさだった。たとえ豊臣政権の遺命代行者が三成を推しても、それに従うことにノーをつきつける武将が続出したのである。

三成は合戦に関しては裏方の「官僚」でありながら、前線で血と汗を流す大名たちの大小の失敗をいちいち秀吉にチクッては批判していたので、多くの大名から嫌われていたのだ。

一方、家康に恩義のある大名は数多くいた。「あの裏切られまくりの信長」を一切裏切らず、武田滅亡後も多くの浪人たちを引き取る我慢の大名。今回は一票入れても構わないかな、と。

かくして家康が孤立するという、三成の描いた絵は完成ならず、五分五分の戦力で、天下分け目の合戦に突入していく。

ちなみに関ヶ原の合戦後、マニフェストを破られたのは政宗だけじゃない。家康が狸と呼ばれるのは、こうした振る舞いのせいだろう。

幸村にボコボコにされ関ヶ原へは遅参
徳川秀忠の愚将説をすすぐ

関ヶ原の合戦にあたり、徳川家康の息子秀忠は「いざ、関ヶ原」と、全軍猛スピードで栃木県の小山から西を目指した。

当時、隠居していた父親の家康は東海道を、バカ息子と評判の秀忠は中山道を通ってそれぞれ戦場を目指したが、途中、よせばいいのに秀忠は、真田昌幸・幸村親子の守る上田城に立ち寄った。

「徳川の大軍なら、たとえ真田でもすぐに倒せるぞ！」

「おいおい、俺らのことは無視して、さっさと先にいったら」

徳川3万8千人に対し、上田城は3千人。確かに10倍もの兵力があれば、すぐに片が付くと誰でも思うだろう。

が、リーダーが愚将ではそうもいかない。昌幸・幸村の戦術にキリキリ舞いさせられ、気がつけばタイムオーバー。関ヶ原の戦いは、すぐに終わってしまった。

武士の世界では戦場に遅れることを「遅参（ちさん）」といい、これは切腹ものの恥ずかしい大失態である。ゆえに、この話は、「秀忠がバカで真田（幸村）はすごい！」という評価になっているが、事実はさにあらず。実は家康は、秀忠に「西へ急げ」という命令は出していなかった。それどころか、真田のいる信州（長野）を攻略せよという命令が出されていたのである。

石田三成が挙兵したとき、家康はまだ会津（福島）の上杉景勝を叩こうか、それとも引き返して三成と雌雄を決するべきか、いやいや、いっそ江戸に立てこもろうかと悩んでいた最中だった。

このとき家康は隠居で、バカ息子が征夷大将軍だったから、じつは徳川本隊は息子のほう。信州ならすぐに東北へも行けるし、いざとなったら関ヶ原へも、江戸へも行ける中途半端な場所にあえて本隊を駐留させたのである。

真田のゲリラ戦略が際立っていたため、秀忠本隊が攻略に手をこまねいていたのは事実。その間、家康は西に向かって進軍しながら、秀忠へも同じ指示を送っていた。普通に受け取っていれば開戦にも余裕で間に合ったはずである。

しかし、そこで不運が起きた。雨による川の増水などで交通状況が悪化して、江戸から信州まで家康の書状を届けるのに2週間もの時間がかかってしまったのだ。

結局、後の大坂夏の陣で派手に活躍し、ドラマチックな死に様を演じた真田幸村の名を高めるため、秀忠がダシに使われたのだ。そろそろ汚名をすすいであげてもいいだろう。

関ヶ原の前に繰り広げられた知られざる前哨戦

キーマンは大谷吉継と細川幽斎だった

関ヶ原という狭い場所で何万もの兵が激突。わたしたちは東軍と西軍の勝利者を知っているので、ついこんなことも考えてしまう。

「もしも、あと1万の兵がこちらにいれば……」

当事者にとっては命を賭した合戦なのだから、関ヶ原の決戦を前に東軍と西軍は、凄まじい引き抜き合戦を繰り広げた。
前哨戦での西軍の大殊勲は大谷吉継である。
東軍は、家康率いる主力に加え、北から攻める加賀の前田家が三成たちの西軍を挟み撃ちにする作戦だった。その数2万。
それを、福井県の小藩に過ぎない吉継が、様々な情報戦を仕掛けて金沢に足止めさせたのだ。

【東軍マイナス2万】

一方、東軍では京都北部の舞鶴にいた細川幽斎がキーマンだった。嫁のガラシャが三成方によって自刃に追いやられ籠城を続け、西軍は計1万5千もの兵を関ヶ原へ送ることができなくなった。その中には西軍で最強と称された立花隊も含まれていたのだから三成にとっては大きな痛手だ。

【西軍マイナス1万5千】

歴史に「もしも」はないというが、果たしてそうなのか。人間の行動はひとりひとりが刻一刻と「もしも」を判断して進むもの。
関ヶ原でも、それが繰り返され、大きな結果に収束していったのだ。

戦国時代
100の大ウソ
戦国史上最大！関ヶ原の戦い
勝敗の鍵は
黒田長政の策にあり
戦国時代
100の大ウソ
第三章
知られざる
合戦のリアル
戦国時代の戦争の真実とは

全国の大名を総動員し
七年に渡り行われ続けた
朝鮮出兵も
日の本が見えて
参ったぞー
秀吉の死と共に
幕を閉じる――
黒田長政
名軍師、黒田官兵衛の長男。
加藤清正、福島正則らと共に
朝鮮文禄・慶長の役で
主戦力となり活躍した
ついに帰って
きたのだな
とは言え
天下は再び
荒れるで
あろうな
この長政、
これから起こる
「関ケ原の戦い」において
東軍を勝利に導く
男である――

秀吉の跡継である秀頼は
わずかに6歳と政権を
担うにはまだ幼すぎた

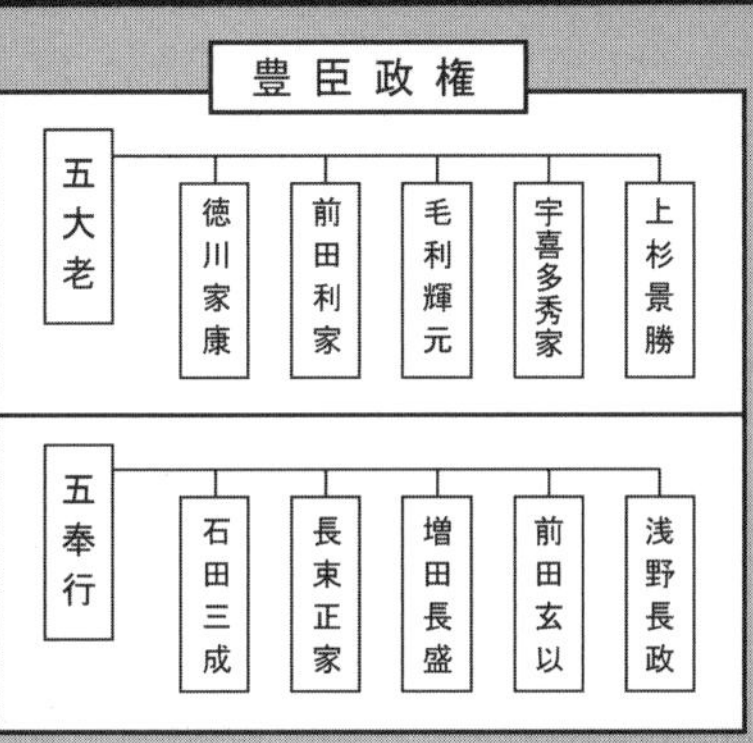
豊臣政権
五大老
徳川家康
前田利家
毛利輝元
宇喜多秀家
上杉景勝
五奉行
石田三成
長束正家
増田長盛
前田玄以
浅野長政

そのため豊臣政権は
秀吉の死後も五大老五奉行の
合議制を保持していた

亡き太閤の御恩に報い
豊臣政権の維持に
身を捧げようぞ!
石田三成
秀吉からもっとも
信頼された五奉行の筆頭。
政権下では秀吉の「取次」
として諸政策を立案から
実行まで数々断行する

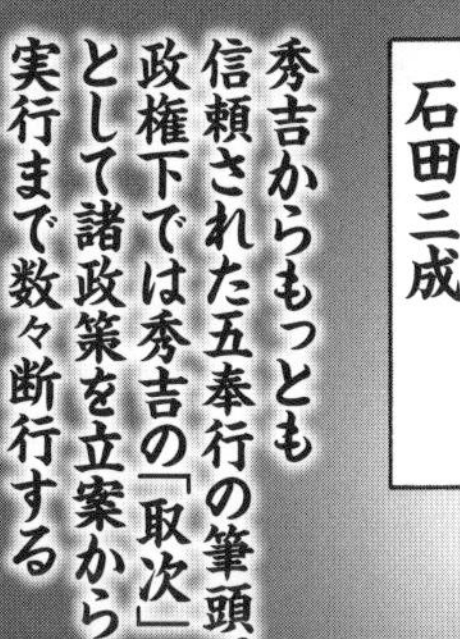
中でも太閤検地は全国の石高を
数値化し、国力を
明確にするなど
三成の辣腕は際立っていた
私利私欲を捨て
公の大義に殉じ
秀吉に殉じた
忠臣ぶりはまさに
王佐の才

しかしこの合議制で行われていた政治も
前田利家の死去により崩れはじめる
織田政権、豊臣政権と天下の苦渋を味あわされ続けてきた徳川が動き出す
宇都宮
小山
江戸城
沼津
島田
浜松城
吉田城
四日市
家康は次々と有力大名に謀反の嫌疑をかけ屈服させていく。
次の標的上杉景勝に対してはついに会津へ兵を送り込んだ
この家康に対し三成も宣戦布告
毛利を総大将として西軍を結成
これに対し家康も会津討伐を中断し東軍を結成
一路大坂を目指した
この2人によって天下の覇権を賭けた戦いが今はじまった!

俺たちが朝鮮の地で
どれだけ命を、財を、
投げ売って戦ってきたか…
槍働きでなんぼの
俺たちを…
福島正則
細川忠興
我らの功績を評価もせず
軍紀違反にまで仕立てあげた
三成を今こそ
討ってくれるわ!

因果応報じゃーー!
やったことは
必ず己に返って
くるのじゃ!
良き事も
悪き事もな
そうよなー黒田!

あぁ
このとき黒田の策は
すでに動き出していた――

かくして両軍は関ヶ原で激突する

小西行長 6000
島津義弘 1600
石田三成 3800
島左近
井伊直政 3600
徳川家康 30000
福島正則 6000
本多忠勝 500
黒田長政 5400

慶長五年
九月十五日午前八時
美濃国不破郡関ケ原
日本全土が東軍・西軍に
分かれ戦国時代史上
もっとも大規模な合戦の
火蓋が切って落とされた。
徳川家康率いる
東軍勢は約七万五千。
それに対し石田三成率いる
西軍勢は約九万。
東軍・黒田率いる先鋒隊が
石田隊と激突し、
福島率いる先鋒隊も
西軍の主力・宇喜多隊
一万七千に突撃を始めた。

黒田長政は
この戦いでいかに
東軍を勝利に
導いたのか？

関ヶ原は四方を
山に囲まれており
退路はほとんどない。
まさに袋のネズミ

三成はここに必勝布陣
「鶴翼の陣」で迎え撃つ

メッケル少佐は
西軍勝利を予想した?

明治時代、日本陸軍兵制の近代化のためドイツから来日していたメッケルは関ヶ原布陣図を見て西軍の勝利を断言したという。これはメッケル関係記録では確認できず、創作の可能性は高い。しかし、三成の布陣は戦略のプロが見ても太鼓判の布陣であることは間違いなかった

撃てぇー!!

石田隊秘蔵の大砲も
火を噴く

ひるむなー
押せえええええ

徳川本隊がこれほど
深く入り込んできて
おるのに吉川・毛利は
なぜ動かぬ!?

南宮山――
我々はこの戦に加わらぬ…

西軍 吉川広家
それが黒田殿との約束だ
黒田殿――毛利一族の運命お預けいたしましたぞ

やはり吉川、小早川は動かぬか…

西軍 大谷吉継

吉勝！赤座、朽木、小川脇坂隊で松尾山を固めよ！

吉川、小早川はもはや西軍にあらず！

大谷吉継は
吉川、小早川の内応を
見抜いていた？

秀吉に「百万の軍兵を与えて指揮させてみたい」と言わせた名将。大谷は小早川の松尾山武力占拠や吉川の布陣位置の不自然さを見抜き松尾山北側に陣を変え、息子・吉勝、赤座隊などを配置し警戒した。この予想は的中する

松尾山——
西軍　小早川秀秋
黒田隊とは戦に参加せずとの約束だったが…
我々も石田方を攻めまするか？

もう戦にはウンザリじゃ。早く決着がつくのであれば…

よし！小早川隊一万五千！この乱に終止符を打つぞ！

小早川秀秋は開戦前からすでに東軍だった？

この関ヶ原の最重要拠点とされる松尾山。ここは当初、総大将の毛利輝元の布陣を三成は考えていた。それを同じ西軍の秀秋が武力占拠し布陣。この時点で秀秋はすでに東軍の意思を固めていたととれる

小早川隊と大谷隊が交戦！
何!?
大谷隊が応戦しておりましたが…

赤座、朽木、小川、脇坂も小早川隊に寝返ったため防ぎきれずに大谷隊は壊滅！
な…なんと…
赤座までもが……

我が軍は総崩れにございまする！
宇喜多隊も撤退を始めました
どれもこれも太閤殿への恩義は微塵もないというのかっ!?

三成殿――
太閤の恩義だけでは人はついてこぬ
新たな国のかたちを描けねば人はついてこぬのだ
こうして関ヶ原は東軍の勝利に終わった
本戦における活躍もさることながら小早川、吉川と調略交渉をも成功させた黒田長政は
外様では破格の12万石から52万石の大名へとあいなった

島津義弘

島津の退き口は3つの奇跡に助けられていた

お家存続を決定づけた義弘の驚異的進軍

関ヶ原の合戦で西軍にいた島津義弘は、昔、三成に助けられた恩義もあり、数少ない友達のひとりであった。

しかし薩摩が日和見を決めたために、集めた兵はわずか1600。関ヶ原の戦いでは、最前線の近くにいながらほとんど戦わずにいた。

これは、関ヶ原の直前に、夜襲の提案を三成に却下された義弘がサボタージュしたといわれるが、後世につくられたウソ。実際は、虎視眈々と「ここぞ」という一撃必殺を狙っていたと考えられる。大規模な合戦では、最初から全兵力を出したりはしない。東軍では、二番手は家康の本陣であり、西軍は島津隊だった。

しかし、予定が大いに崩れた。局面打開のチャンスが来る前に、小早川秀秋の参戦によって西軍が崩壊してしまったのだ。ここから伝説の「島津の退き口」が始まる。

三成、宇喜多秀家、小西行長らは、全員西に向かって敗走していた。関ヶ原は、岐阜県と滋賀県の県境にあり、滋賀県側へ行けば、三成の本拠地のある佐和山城（彦根市）なのだから、当然の行動だ。

ところが島津隊だけは、他の敗軍将とは逆方向に進み、敵軍の正面突破をはかった。進行方向には家康の本隊がある。

予想外の敵襲に東軍の名将たちが次々に倒れた。もちろんそれ以上に島津隊も倒れた。敵陣のど真ん中を抜け出したのは、1600人中約80人。

関ヶ原の西軍で、唯一、お家存続を許されたのは島津だが、家康がこの戦いぶりに敬意を抱き、許したとされている。

では、なぜ、無謀な敵中突破が成功したか。かつては薩摩兵の強さ、気合が要因と言われていた。幕末の薩摩藩士が「ちぇすとー！」の叫び声で敵を一刀両断にする戦いぶりも、この島津の退き口が由来とされている。

しかし、最近になって勝因が判明してきた。

ひとつは兵の規模である。1600人と少なかったため気付かれにくかった上に、勝利を決めた東軍は、戦功を狙って大将格の石田三成隊、宇喜多秀家隊に殺到した。

それを意識したのか島津隊では、敵味方を区別する布切れや旗などの目印を外すように命じており、さらに同士討ちを避けるために決めた合い言葉が、島津隊と東軍が偶然同じ『ざい』だったという幸運も重なった。

加え、身分の低い足軽の武器と言われていた鉄砲を、島津隊は上級の武士たちが装備していたこともあげられる。

島津隊が家康の本陣に突入し、ようやく敵と気付いた家康の親衛隊である井伊直政、本多忠勝、松平忠吉が迎え撃つ。この銃撃戦によって、井伊直政が落馬（その後、銃創が原因で死亡）、本多忠勝も馬を撃たれ、松平忠吉も手を負傷するという大損害を受けたのだ。

敵に向かって逃げる「勇気」、合言葉が同じという「幸運」、身分をこえて取り入れた「鉄砲」。この3つが織り成してできた伝説であった。

宇喜多秀家
宇喜多秀家と豪姫の夫婦愛が花を咲かせた
八丈島への流罪から250年

関ヶ原における西軍の主戦力は、1万6千余りを率いた五大老の宇喜多秀家であった。

もともと宇喜多家は岡山の小さな土豪にすぎなかったが、織田信長の配下となった後、瞬く間に出世。秀吉から「秀」の字をもらうほどに寵愛され、20代の若さで豊臣の「五大老」となった。

その恩義もあり、当然ながら関ヶ原では西軍に参戦。敗れたあとは近くの伊吹山に逃れた。そこで部下に愛刀を持たせて東軍に出頭させ、「秀家は自刃して埋葬した」とウソをつき、島津氏を頼って薩摩に落ち延びる。

その後、島津氏と前田利長（利家の息子）の助命嘆願によって死罪はかろうじて免れたが、八丈島へと島流し。南の孤島で半世紀をすごし、84歳で大往生を遂げた。

なぜ、加賀百万石の前田利長が宇喜多の助命を嘆願したのか。それは、秀家の妻が利長の妹・豪姫だったからである。

つまり豪姫は利家とマツの子であるのだが、子のいない秀吉の養子となり、「もし豪が男だったら関白にした」と言わしめるほど可愛がられていた。

宇喜多は肖像画からも分かるように、若くして絶頂を極めたイケメン大名。豪姫も惚れまくっていた。

夫婦の間には2人の男子がおり、愛する夫

ともに八丈島へ。豪姫は前田家を通じて、苦しい生活の夫と息子たちに仕送りを続け、彼らが死んだ後も、前田家は、島に残る宇喜多氏の子孫たち浮田家へ援助を続けてきた。

そして、明治維新で徳川幕府が倒れると、晴れて宇喜多一族は罪を許され、島を出ることになる。これもひとえに250年前の夫婦愛のおかげだろう。

宇喜多の子孫の一部は、現在でも島の名家として続いている。戦国の歴史が今も脈々と続いていることを実感させられよう。

小早川秀秋

最初から東軍でした！
関ヶ原の勝利を決めた小早川秀秋の可哀想な立場

関ヶ原で勝ち組となったのに、最も名をおとしめた武将といえば小早川秀秋だ。

東西両軍の戦いをしばらく松尾山から眺め、最後に、西軍の横っ腹へなだれ込み、勝敗を確定。

東軍からしてみれば大勲功である。

万が一、この山に西軍総大将の毛利輝元が入っていたら、当然、東軍を攻撃したので、家康必敗であっただろう。
しかし秀秋は運悪く、関ヶ原から間もなく若くして病死してしまった。そのため死因が西軍の呪いと思われ、「呪われた＝悪いことした」という平安時代以来の怨霊信仰に則り、日和見や裏切り者と称されるようになってしまった。

実際のところ秀秋は、晩年の秀吉にパワハラされまくり、それを家康に救ってもらった恩義があった。もともとは家康派なのである。

当初、松尾山は西軍の武将が陣取っており、それを追い出して秀秋が居座っていることから、日和見でもなんでもなく、関ヶ原の開戦前から、事実上、東軍だったのだ。

が、死人に口なしとはよく言ったもので、早世してしまったために色々なことを言われるように……。あー怖い。

小早川を巡っては、もう一つの真相がある。小早川隊は1万5千の大軍と言われているが、実際はその半分の約8千。西軍にとっても秀秋の東軍参戦は想定内であり、大谷吉継が兵1500で備えていた。山から大軍が駆け下りるのは簡単ではなく、いっぺんに何千人も雪崩れ込むのは不可能なので、大谷隊の兵数で十分に対応できるのだ。

が、吉継にとって想定外だったのは、小早川の参戦に動揺して、脇坂安治、小川祐忠、赤座直保、朽木元綱の4隊に裏切られたことだ。本来は、彼らと吉継で小早川隊を挟み撃ちにする計画だったのに、あろうことか大谷隊の横に突っ込んできたのだ。

そのため、西軍の戦線は一気に崩壊。本当の殊勲は、ガチで裏切った4隊となるが、戦後、この4人のうち3人を徳川家康は取り潰した。

土壇場になって寝返る〝本物の裏切り者〟は、たとえ下克上の戦国時代でも信用されないということだ。

石田三成

てっきり一族滅亡かと思いきや脅威の繁栄を果たす
大名になった石田三成の孫 徳川将軍と結婚した三成のひ孫

家康に逆らった石田三成は、後に大悪人とされた。現代人でも、三成に悪い印象を持つ人は少なくないだろう。しかし、それは江戸時代もしばらくたってから情報操作された話だ。家康自身は三成のことを「好敵手」と考えていた。矛を交えた者同士でなくては分からない思いがあるのだろう。

戦国時代において敗者の息子など、男系はほとんど例外なく処刑される。が、家康は三成本人は処刑したが、嫡子や次男は助命を許した。嫡子は佐和山城におり、西軍に属していたにもかかわらず出家による謹慎だけで許され、次男は大坂城で豊臣秀頼に仕えていたため無罪放免。当時の家康が、形式上は秀頼に臣従していたということも幸運だった。

3女の振姫については、津軽藩2代目の側室となっている。正室は家康の養女であるから、幕府が、三成の娘と大名の結婚を公認したのだ。しかもその後、津軽藩3代目の大名になったのは、正室が生んだ息子（生まれた順では弟）ではなく、三成の孫（兄）だったというから驚きだ。

このとき（1631年）は、江戸幕府も3代将軍家光の時代。家光は祖父の神格化を進めた人物として知られるが、当初、幕府の上層部に「三成悪人説」はなかったことを裏付ける。

また、三成の長女のダンナは山田勝重という知名度の低い人物なのだが、この山田くん、関ヶ原後に家康の息子に仕え、なんと一時は2万石の大名クラスにまで出世している。

驚くのは、次女だろう。彼女は蒲生氏郷の重臣と結婚したが、その孫、つまり三成にとってのひ孫の女性が、なんと3代将軍家光の側室となっているのだ。そして家光にとっては初めての子である千代姫を生んでいる。

千代姫は、後に尾張藩（徳川家）の正室となった。彼女の子孫は貴族となり、なんと現代まで三成の血は続いている。

関ヶ原の責任を取らされて一族滅亡。そんな思い込みが覆されるのも、戦国時代の面白いところだ。

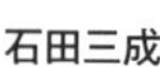
石田三成

鈴木眞哉　『戦国「常識・非常識」大論争！』歴史新書y、『NHK歴史番組を斬る！』歴史新書y
『戦国時代の計略大全』PHP新書、『刀と首取り――戦国合戦異説』平凡社新書
小和田哲男・柴辻俊六編　『思わず人に話したくなる 間違いだらけの戦国史』新人物往来社、『秀吉の天下統一戦争』吉川弘文館
小林清治　『伊達政宗』人物叢書、『戦国大名伊達氏の研究』高志書院
桐野作人　『関ヶ原島津退き口』学研新書、『謎解き 関ヶ原合戦 戦国最大の戦い20の謎』アスキー新書
盛本昌広　『戦国合戦の舞台裏』歴史新書y
今谷明　『戦国三好一族』洋泉社MC新書
本多隆成　『定本 徳川家康』吉川弘文館
三池純正　『敗者から見た関ヶ原合戦』歴史新書y
渡邊大門　『戦国大名の婚姻戦略』角川SSC新書
高澤等　『戦国武将 敗者の子孫たち』歴史新書y
かみゆ歴史編集部　『あやしい天守閣』イカロス・ムック
伊達泰宗・白石宗靖　『伊達家の秘話』PHP研究所
佐藤憲一　『素顔の伊達政宗』歴史新書y
跡部蛮　『信長、秀吉、家康「捏造された歴史」』双葉新書
滋賀県安土城郭調査研究所　『安土城・信長の夢――安土城発掘調査の成果』サンライズ出版
千田嘉博　『信長の城』岩波新書
中嶋繁雄　『戦国の雄と末裔たち』平凡社新書
光成準治　『関ヶ原前夜』NHKブックス
白峰旬　『新「関ヶ原合戦」論』新人物ブックス
高橋慎一朗　『武士の掟』新人物往来社
服部英雄　『河原ノ者・非人・秀吉』山川出版社
神田千里　『一向一揆と石山合戦』吉川弘文館
平山優　『真田三代』PHP新書
相川司　『真田一族』新紀元社

藤木久志『戦う村の民俗を行く』朝日選書
舘鼻誠『戦国争乱を生きる』NHKライブラリー
三池純正『真田信繁』宮帯出版社、『義に生きたもう一人の武将 石田三成』宮帯出版社、『真説・川中島合戦』洋泉社新書
岩沢愿彦『前田利家』人物叢書、『国史大辞典』吉川弘文館、『日本歴史地名大系』平凡社
太田牛一『信長公記』訳本は中川太古訳新人物往来社版
湯浅常山『常山紀談』訳本は大津雄一・田口寛「続戦国武将逸話集」風媒社
金子拓『記憶の歴史学 史料に見る戦国』講談社選書、『「信長記」と信長・秀吉の時代』勉誠出版
高木洋『宣教師が見た信長の戦国──フロイスの二通の手紙を読む』勉誠出版
宮下英樹 絵・本郷和人 文『ちぇんごく上下』講談社
宮下英樹・ヤングマガジン編集部編『センゴク公式バトル読本』講談社
桐野作人『関ヶ原 島津退き口 敵中突破三〇〇里』学研新書
本郷和人『名将の言葉 武人の生き様と美学』パイインターナショナル
酒井シヅ『病が語る日本史』講談社学術文庫
小和田哲男『戦国武将の手紙を読む』中公新書
鳥津亮二『小西行長「抹殺」されたキリシタン大名の実像』八木書店
大石学・佐藤宏之・小宮山敏和・野口朋隆編『現代語訳徳川実紀 家康公伝』吉川弘文館
藤本正行『信長の戦争「信長公記」に見る戦国軍事学』講談社学術文庫
『桶狭間の戦い 信長の決断・義元の誤算』歴史新書y
小和田哲男『秀吉の天下統一戦争』吉川弘文館
山本博文『信長の血統』文春新書
山田邦明『戦国のコミュニケーション』吉川弘文館
谷口克広『織田信長合戦全録』中公新書
福島克彦『畿内・近国の戦国合戦』吉川弘文館
藤井譲治『天下人の時代』吉川弘文館
藤田達生『秀吉と海賊大名』中公新書

画 富永商太
漫画『蒼天航路』のアシスタントを経て2008年にメジャーデビュー。歴史を中心とした漫画、イラスト、城郭復元を手がけ新聞、誌面等で活躍している。2016年1月から読売新聞中部版で「東海100城」連載中。　qomolangmaqomolangma@gmail.com

文 川和二十六
歴史ライター。戦国時代をはじめ歴史全般に造詣が深く、日々、大学の研究者などと共に史料発掘の研鑽に努めている。

有名武将や合戦の常識をひっくり返す
戦国時代100の大ウソ

2021年4月20日　第1刷発行

発行人
稲村 貴

編集人
木村訓子

発行所
株式会社 鉄人社

〒162-0801 東京都新宿区山吹町332 オフィス87ビル 3階
TEL 03-3528-9801　FAX 03-3528-9802　HP http://tetsujinsya.co.jp/

デザイン
鈴木 恵（細工場）

印刷・製本
新灯印刷株式会社

ISBN978-4-86537-210-6　C0076　